Dr. Nelio Tombini

não deixe a vida te maltratar

Não deixe a vida te maltratar

1ª edição: Novembro 2022

Autor:
Nelio Tombini

Preparação de texto:
3GB Consulting

Revisão:
Patrícia Alves Santana

Projeto gráfico e capa:
Jéssica Wendy

DADOS INTERNACIONAIS DE CATALOGAÇÃO NA PUBLICAÇÃO (CIP)

Tombini, Nelio
Não deixe a vida te maltratar : a busca da (in)felicidade / Nelio Tombini. — Porto Alegre : Citadel, 2022.
192 p.

ISBN 978-65-5047-192-7

1. Desenvolvimento pessoal 2. Autoajuda I. Título

22-5886 CDD 158.1

Angélica Ilacqua - Bibliotecária - CRB-8/7057

Produção editorial e distribuição:

contato@citadel.com.br
www.citadel.com.br

Dr. Nelio Tombini

não deixe a vida te maltratar

A busca da (in)felicidade

carregando...

2022

Sumário

Agradecimentos

Agradeço em primeiro lugar aos pacientes que tiveram a confiança de depositar em mim seus segredos, angústias, temores, incertezas, infelicidades, alegrias, conquistas, felicidades. Eles não imaginam o quanto energizam minha vida. A todos que tiveram a fineza e a paciência em me ouvir, interagir e me acompanhar nas palestras, *workshops*, nos vídeos do YouTube. Meus filhos, Ana Carolina e Gabriela, ambas psicólogas, e Felipe, acadêmico de psicologia, que foram ouvidos e cujos pensamentos atentos me ajudaram em momentos e temas nos quais empacava. Leania, minha esposa, sempre me acompanhando com afeto e atenção e dando suporte para minhas jornadas. Ao professor e editor Carlos Gianotti, sempre de plantão para me socorrer em algumas encruzilhadas.

Apresentação

Não deixe a vida te maltratar

>> Como seria possível a vida nos maltratar? Esse título parece uma "pegadinha"! Num primeiro momento, poderá confundir o leitor, pois a vida não tem esta tendência, este poder de nos maltratar. Entretanto, o texto versa sobre a grande competência das pessoas em se atrapalhar com seus sentimentos, emoções e tornarem a vida sofrida, cheia de conflitos e plena de infelicidade. <<

Na verdade, a vida acontece de uma maneira aleatória, ou seja, depende de fatores ocasionais. Desde a família que nascemos, o país, a cidade, se tivemos acesso à educação, boa saúde física e mental, condições econômicas razoáveis, nossa etnia etc. Evidente que a vida é dura, com perdas, lutos, doenças, rompimentos, catástrofes, fome, violência. Desta forma, não teria poder para nos maltratar. Entretanto, nós, humanos, somos extremamente competentes para descuidarmos das nossas vidas, não tendo intimidade com nossos pensamentos, emoções e ações, e assim, tornamos a vida sofrida demais. Mas, parafraseando o jornalista e escritor Nelson Rodrigues: "a vida é como ela é"! Acrescento eu, nem justa e nem injusta!

Lembrei de dividir uma situação de como podemos fazer a vida mais difícil. Um companheiro de tênis relatou-me que tem um amigo desde a infância e gosta da companhia dele. Entretanto, esse amigo tem uma característica que se repete. Marca encontros, compromissos e frequentemente desmarca na hora do dito encontro. O meu parceiro de tênis disse que iria se afastar definitivamente desse amigo e que até a mulher dele tinha se separado dele. Sugeri ao meu parceiro que falasse com seu amigo desse jeito de ele se relacionar e que era uma maneira de botar as pessoas a correr da vida dele. Percebi que meu parceiro titubeou em aceitar a minha ideia. Se conversar com o outro, abrirá um novo caminho na relação. Não falar deixará meu parceiro chateado. Logo, a fala, no caso, pode ser redentora e tornar a vida menos sofrida.

Esse capítulo enfoca a habilidade do ser humano em criar situações no seu imaginário ou psicológico que poderão trazer sofrimentos e limitações na vida como um todo. Claro que aqui quero destacar o quanto somos capazes de nos maltratar diante das relações do cotidiano. Quando digo "não deixe a vida te maltratar", é uma redundância, uma analogia, no sentido dessa nossa capacidade de fazer nossa vida cheia de obstáculos e sofrimentos e, geralmente, debitarmos em terceiros a origem desses pesares. Poderemos colocar a razão das mazelas nos pais, cônjuges, colegas, chefes, namorados, filhos, amigos, políticos, governantes e até em Deus.

Gosto de criar uma imagem gráfica para acompanharem meu raciocínio. Imaginem se nossas vidas fossem sustentadas por dois pilares. O primeiro formado pelos nossos conhecimentos, cultura, intelectualidade, escolaridade e poder econômico. No outro pilar estariam nossas emoções, sentimentos, percepções, humores, nossa psique. Normalmente, o ser humano se aplica mais, investe mais no primeiro pilar, como se esse fosse o caminho para a felicidade. Não é! O segundo, das emoções, é o mais enigmático, pois temos pouca intimidade com sua construção. Dessa forma, nos atropela no dia a dia, sem que percebamos a força avassaladora do inconsciente ou psique jogando contra nosso bem-estar e fazendo a vida sofrida e infeliz. Não é possível uma vida satisfatória, prazerosa e feliz se o pilar psicológico não estiver bem sedimentado e percebido pelas pessoas.

Nossa saúde mental pode ficar comprometida ou adoecida em decorrência de doenças psiquiátricas, como depressão, síndrome do pânico, transtorno obsessivo-compulsivo, transtorno bipolar e outros. São doenças que têm uma base química, e para as quais os remédios ajudam bastante. Também existem as dependências químicas que causam estragos graves na mente e na vida. Outro transtorno – e talvez o mais presente e frequente dos sofrimentos mentais – é o de personalidade.

Como percebemos que a nossa personalidade está nos causando problemas no cotidiano e nas relações? Pessoas desconfiadas, ciumentas, se enquadram no que chamamos personalidade ***paranoide.*** Os que desejam controlar tudo não toleram que alguém mude de lugar seus objetos, não aceitam sujeira nenhuma no ambiente e nem atrasos de um minuto. Esterilizam suas vidas e as do que estão no entorno – são os ditos ***obsessivos***. Aqueles mais reclusos, que não gostam de se misturar com outras pessoas, que ficam mais isolados e com poucas relações, com certo medo de se aproximar e dificuldades de falar em público, chamamos de ***fóbicos***. Se predomina muita ansiedade, dificultando as relações, o sono, com sintomas físicos como suor excessivo, boca seca, disparando o coração, às vezes chegando a procurar emergências com receio de que vão ter um ataque cardíaco, chamamos de ***ansiosos***. Outros são mais abatidos, tendem a não curtir a vida e a mesma se torna um fardo, trabalham sem tirar proveito, o dia a dia é pesado, têm pouca energia – essa seria a personalidade ***depressiva***. Tem uma turma que não decide nada, sempre busca a opinião dos outros, pergunta se está bem vestida, se deve namorar um ou outro, que roupa comprar, o que dizer diante do chefe – seriam os que se encaixam em personalidade ***passivo-dependente***. Outros são explosivos, não toleram frustações, ameaçam bater ou se machucam e quebram objetos, diante das pequenas frustações do cotidiano – são os ***borderline***. O ***antissocial/distúrbio de conduta/psicopata*** desrespeita, engana, manipula, vai contra as regras sociais, aplica golpes e não mostra arrependimento e nem sofrimento. O ***histriônico*** precisa sempre estar no foco das atenções, suas emoções sempre estão à flor da pele, mas depois de crises nervosas, mesmo que tenha brigado com os outros, se porta como se nada tivesse acontecido. O ***narcisista*** acha-se superior, precisa de muita admiração. Mas tem pouca empatia com seus pares. As pessoas com os ditos transtornos de personalidade não se percebem adoentadas. Percebam que capacidade esses indivíduos têm de tornarem a vida difícil, confusa e com sofrimentos para si e os outros, logo, estão maltratando a vida.

Estou sinalizando ao leitor como vão surgindo os sofrimentos e as limitações para aproveitarmos o dia a dia, ou seja, nosso imaginário, nossa mente vai se confundindo, adoecendo e nos carrega de arrasto. Surge a razão do título deste livro: não é a vida que nos maltrata, mas nós mesmos que, inconscientemente, vamos maltratando nossas vidas.

Outro exemplo de como a vida pode ser mais complicada se não intervirmos no seu curso. Costumo dar palestras e cobro por essa atividade. Outro dia, uma moça que rasga elogios a quem sou e ao meu trabalho e que dirige uma organização com ótima saúde financeira convidou-me para fazer um *workshop* na sua empresa. O valor que desejava pagar-me era muito abaixo do que costumo cobrar. Não aceitei trabalhar nessas condições e fiquei reflexivo para entender a postura dela. Como tenho alguma intimidade com ela, resolvi revelar a ela que era um contrassenso me "jogar confetes", mas por outro lado me desqualificar ao me oferecer um valor tão pequeno. Fiz a minha parte, no sentido de ser claro e objetivo e ao mesmo tempo respeitoso. Tirei o desconforto que me habitava e percebi que ela não contava com essa minha confissão. Cuidei dos meus sentimentos e da minha vida. Quero dizer ao leitor que não faz diferença se ela se propôs a pagar o valor real da palestra, mas o que pesou foi minha atitude.

O livro oferece uma série de capítulos que tratam o tema de forma clara, objetiva e transparente, mediante exemplos de situações observadas e acompanhadas por mim ou por outros colegas. Trazemos a vocês essas experiências, para que possam pensar sobre elas e tentar usá-las em suas vidas, para que, dessa forma, não maltratem suas próprias vidas.

1.

A infelicidade pode ser a porta para a felicidade!

>> A infelicidade pode ocorrer em decorrência de crises que atingem os indivíduos, criando situações propícias a mudanças. A infelicidade pode ser a força motriz para levar à felicidade? Tristezas, ansiedades e depressões podem ser uma alavanca para a felicidade. A energia nociva que aflige a mente do indivíduo infeliz pode ser transformada em energia positiva para levá-lo à felicidade. A psicoterapia é um processo auxiliar na busca da felicidade. Para Freud, prazer e desprazer andam de mãos dadas, como amor e ódio. <<

Existem, em psicanálise, alguns conceitos, como o de imaginário, de emocional, de psicológico ou de inconsciente, que são pura subjetividade, o que dificulta o entendimento pelo leigo. Vou considerá-los sinônimos e tentar, didaticamente, tornar mais compreensível para o leitor essa linguagem nada concreta que versa sobre a psique humana.

Penso que o título deste livro, num primeiro momento, poderá confundir o leitor. As pessoas podem achar que o psiquiatra pirou de vez. Mas, felizmente, o título faz todo o sentido, conforme tentarei mostrar aqui. Comumente, ouvimos alguém dizer: "Crises são fatores de crescimento e mudanças"! Em outras palavras, a infelicidade vinda da crise, se bem trabalhada, levará ao crescimento, no caso, à felicidade.

Mudanças em nossas maneiras de ser, de pensar e de agir são difíceis. Nossa psique funciona como um programa de computador: quando abrimos o Windows, ele sempre se apresenta do mesmo jeito. Assim costuma ser nossa mente. Adquirimos um padrão, e ele tende a se repetir pela vida afora. Muitas vezes, as possibilidades de mudança desse "jeitão de funcionar" no curso da existência ocorrem sob duas condições. A primeira possibilidade de mudança é devida a um trauma ou colapso sério, quando somos remetidos ao fundo do poço da infelicidade. A pancada, o sofrimento insuportável e o risco de afogamento no mar da infelicidade podem mexer com nossa "cuca", e, diante disso, reagimos, reprogramamo-nos e mudamos a vida. Essa transição pode ser o caminho para uma vida mais plena: **a felicidade**. A segunda possibilidade de mudança pela qual podemos ser resgatados dos labirintos da infelicidade acontecerá por meio de uma psicoterapia, pela busca de ajuda externa. Este livro também tem a pretensão de semear a semente para a felicidade no subsolo da alma dos leitores.

A seguir, divido com você, leitor, ideias de alguns pensadores importantes que se debruçaram sobre os temas dor, sofrimento, neurose, culpa, infelicidade e felicidade.

Friedrich Nietzsche, filósofo alemão que viveu no século 19, escreveu que "a dor da alma pode ser libertadora e caminho de transformação para a alegria, já que a ***dor*** e a ***alegria*** não podem ser separadas uma da outra". É dele também esta máxima: "*amor fati*", ou seja, "amor ao destino". Aceitar a vida como se apresenta, absorver a fatalidade e tirar dela forças, por meio do querer, evitando ser consumido pelo rancor e pela vingança. Dessa forma, devemos investir todas as nossas energias para tirar o maior proveito desta vida que se apresenta, ou seja, transformar a infelicidade em felicidade!

Espinosa, filósofo holandês do século 17, emprestou-nos esta reflexão: amar a Deus sem esperar nada de volta é amar a vida, é amar a natureza, o cosmos, amar as coisas, sem esperar nenhum prêmio por isso, ou seja, um amor desinteressado. Diferentemente do amor passional, que ama, entrega seu amor, mas espera algo em troca. Não deixa de ser um amor de certa forma utilitarista.

Sigmund Freud (1856-1939), neurologista e psiquiatra austríaco que é o pai da psicanálise, o primeiro a entrar nas catacumbas da mente humana, sempre enxergou o ***desprazer*** andando de mãos dadas com o ***prazer***, ou seja, a infelicidade juntinha com a felicidade. Também escreveu que o mal-estar é inerente à condição humana e que a dor e os sofrimentos da alma podem deixar os homens mais fortes. A dita "neurose" é uma situação de sofrimento mental criada pelo nosso inconsciente, evidentemente, sem percebermos. Seria uma forma de o imaginário nos sabotar, de nos deixar infelizes e sofridos. Mas Freud descobriu que, por meio da análise ou da psicoterapia, podemos fugir desse calabouço neurótico e nos jogar nas areias claras da felicidade. Novamente, a infelicidade, bem trabalhada dentro de cada um de nós, poderá nos levar aos braços da felicidade.

Como cada um de nós reagiria diante de um trauma ou uma crise existencial? Em decorrência da morte de um ente querido; do diagnóstico de um câncer; do fim de uma relação amorosa; de uma traição no casamento; da perda de um emprego importante; da falência da empresa; do sofrimento de um filho dependente químico? Por certo, em tais situações, as pessoas ficam abatidas, sentindo-se culpadas, raivosas, deprimidas, desiludidas, ansiosas. Impactos dessa ordem trazem a sensação de que nada valeu a pena, de que a vida é cruel e de que, talvez, nem valha a pena prosseguir lutando.

Costumo trazer exemplos para tornar claros pontos mais subjetivos da vida humana. Digamos que o seu time caiu para a segunda divisão do futebol brasileiro. Toda a torcida, os jogadores, os dirigentes se abatem, a raiva aflora, e uma sensação de terra arrasada se instala. Passa um ano, seu time junta os cacos e se recupera. Volta para a primeira divisão. Toda aquela infelicidade, toda a energia negativa que acometeu a todos, transforma-se numa energia positiva e volta a florir a felicidade.

Num grave acidente, uma pessoa fica tetraplégica, ou seja, não mexe os braços e as pernas e não tem controle sobre a excreção de urina e fezes. Talvez alguns amigos e parentes pensem: melhor que tivesse morrido. Mesmo o que se acidentou pode desejar morrer ou, quem sabe, até pedir aos médicos que o deixem morrer. Infelicidade pura, vida descaracterizada, inclusive porque dependerá dos outros para viver. Vida sexual, nunca mais. Conhecemos muitas pessoas nessas condições! Mas seguiram procurando tornar o seu viver o mais razoável e prazeroso possível. Filhos crescendo, e a família ali unida. A infelicidade absoluta vai se transformando em bem-estar, satisfação, surgem avanços na medicina, e a felicidade volta a brilhar.

A pessoa descobre que tem um câncer maligno de mama. O primeiro pensamento é de que vai morrer. Deprime-se, afasta-se de suas atividades, perde o sono, emagrece. Pura infelicidade! Segue a sua jornada de cirurgia, radioterapia, quimioterapia, plástica para refazer o seio. Perde o cabelo, fica careca. Sua doença está escancarada para todos. No investimento que faz em seu tratamento, vai usando essas energias negativas, depressivas, e com elas vai lutando para se manter viva. Dez anos passam, e ela segue viva. Agora, brotam satisfação e prazer, e tudo se reverte em felicidade! Esse é o sentido do título deste livro.

Quantas crianças sofrem abusos sexuais na infância ou na adolescência! Um trauma destruidor da mente, e muitas delas conseguem trabalhar internamente seus sentimentos a ponto de chegarem à vida adulta com a saúde mental restaurada e potente. Isso é outra prova cabal da capacidade do ser humano de transpor a porta da infelicidade e passar a construir uma ponte rumo à felicidade.

Podemos ver empresários com seus negócios "bombando". Em algum momento, por atrapalhação própria ou problemas de mercado, o faturamento começa a decair, e vem a falência. Falta dinheiro para pagar IPTU, condomínio, colégio dos filhos, plano de saúde etc. Não são poucos aqueles que recomeçam, às vezes com trabalhos eventuais, e se reconstroem. Dá para se imaginar o preço dessa experiência, o abatimento, a desesperança; porém, o que era sofrimento e infelicidade se transforma, com a aplicação dessa mesma energia, em recuperação.

Conhecemos ou ouvimos falar sobre pessoas que cometeram delitos graves, foram condenadas em razão disso e cumpriram pena em presídios. A família fica completamente arrasada e envergonhada. O preso pode passar anos na cadeia. É de se imaginar a infelicidade vivenciada por uma pessoa – e por seus familiares – nessa condição. Pois, quando cumpre sua pena, toda a infelicidade experimentada pode ser usada para a retomada da vida. De onde vem essa energia, esse ímpeto para a retomada? Vem do sofrimento, da infelicidade, dos desprazeres.

A pessoa deprimida é soterrada por uma energia negativa, por pessimismo, por prostração, até por desejos de acabar com a vida. À medida que vai sendo tratada com medicação e mediante psicoterapia, ela começa a usar essa energia tóxica para se reconstruir. Lembremos que é do veneno da cobra que se cria o soro para combater a picada do próprio animal. O veneno combatendo o veneno. Há um tipo de aipim que precisa ser trabalhado para dele se retirarem suas toxinas; caso contrário, intoxicará aquele que o comer. Pode-se considerar que o indivíduo em estado depressivo mantém consigo uma energia negativa, que gera infelicidade; tratar esse indivíduo seria como fazê-lo usar essa energia ruim de forma que a transforme em energia saudável, ou seja, em felicidade. Parece grosseira a analogia que farei. Mas os dejetos das casas ou os resíduos das indústrias, que vão pelos esgotos, podem ser transformados pela tecnologia. Pois algo semelhante acontece com nossas emoções e vivências sofridas – a infelicidade corrente e processada em nossas mentes pode se modificar e virar felicidade.

Evidentemente que nem todos conseguirão transpor essa porta que é a passagem da infelicidade para a felicidade. Situações de pobreza intensa, doenças físicas avassaladoras, maus-tratos continuados, fome ou falta de moradia podem ser tão imobilizadoras que os que padecem dessas experiências terão pouca energia para sair do aprisionamento infeliz.

2.

Alguém nos sacaneia sem nossa colaboração?

>> A palavra sacana tem uma conotação sexual para designar alguém que seja devasso, libertino. Com o uso, o significado se ampliou para mau-caráter, espertalhão. O verbo sacanear significa ludibriar, iludir. Ser sacaneado é ser logrado, tapeado. O sacana ilude apenas quem abre espaço em sua vida para ser sacaneado. O indivíduo ludibriado tem a fantasia de que vai ser cuidado ou tirar algum proveito do pilantra. Sempre há uma cumplicidade nessa ação. Talvez o sacaneado precisasse expiar algum tipo de culpa? <<

Frequentemente, alguém nos diz ou nós dizemos: fui sacaneado, me sacanearam. Quando eu era um terapeuta mais jovem, tendia a acreditar nessas narrativas. Hoje, quando examino esse tipo de conversa com mais atenção, no meu consultório e mesmo fora dele, o que normalmente percebo é que existe ali a colaboração de quem se diz sacaneado, isto é, a própria pessoa, inconscientemente, facilitou as coisas para que o outro a sacaneasse. Existe um conluio entre o sacana e o sacaneado. Difícil acreditar!

Vejamos a situação pela qual passou um parente meu. Resolveu trocar o piso da cozinha. Escolheu o padrão de porcelanato que mais lhe agradou, nas condições que julgou justas, e adquiriu a quantidade de que precisava. Recebeu, por meio do dono de uma banca de revista, a indicação de um pedreiro para a colocação do piso. Não buscou informação com pessoas que tivessem realizado algum serviço com esse profissional. O sujeito fez um orçamento para iniciar o trabalho e pediu 50% do valor adiantado, alegando ter uma pessoa doente na família. Meu parente pagou, e o tal sujeito nunca mais apareceu.

O que aconteceu nesse caso? Esse operário tinha um perfil sacana, vigarista, enganador, e não entregou o serviço prometido, evadiu-se, e meu parente estava muito queixoso. É evidente que ele, inconscientemente, facilitou a atuação do prestador de serviço por alguma razão, e correu o risco, ou seja, acabou sacaneado. Situações equivalentes a essa são muito frequentes. A possibilidade de não aceitar o pagamento de metade do valor antecipadamente e fazer uma proposta mais adequada talvez se apresentasse como desgastante para meu parente. Uma atitude como essa poderia soar como confrontação. Acredito que optou por "não se incomodar". Quantas vezes vocês já ouviram esse argumento? Pago para não me incomodar, mas com certeza a incomodação virá em dobro. Outras vezes, queremos nos ver livres de alguma situação e, para nos desobrigarmos, nós a terceirizamos. Quantas vezes confiamos nosso dinheiro a alguém com quem temos pouca convivência para pagar uma conta para nós? Tempos depois, vem a surpresa: a dita conta não foi paga! A provável reação do que ficou no prejuízo é dizer: "Aquele sujeito não presta, vou processá-lo, usou da minha boa-fé". Só se esqueceu de pensar na razão de ter se colocado nesse risco!

Você, leitor, recorda daquele caso de alguém que comprou um bilhete premiado de uma pessoa atrapalhada, confusa, que nem sabia como ir ao banco pegar o valor a que teria direito? Ofereceu esse prêmio para um espertalhão de plantão que deu uma merreca de dinheiro em troca da fortuna que ganharia! Aqui, o sacaneado que comprou o bilhete desejava sacanear, levar vantagem em cima do pobre coitado confuso. Percebam que o sacaneado não é bonzinho, ao contrário, é um malandro despistado de caridoso, ou seja, é também um espertalhão! Deve ser difícil, depois, ir a uma delegacia de polícia e dizer que foi passado para trás ou que foi sacaneado!

Mas por que as pessoas fazem isso? Não é por falta de conhecimento, não é por serem ignorantes. Não tenho dúvida de que preponderam mecanismos psicológicos que conduzem as pessoas a essas armadilhas. Ser sacaneado indica prejuízo. Por que as pessoas precisariam buscar situações para se darem mal? Botando uma lupa no emocional desses indivíduos, poderíamos achar outra justificativa para entrarem "nessas frias". Talvez um sentimento de culpa inconsciente poderia ser um convite aos vigaristas. Então, como se fosse uma autopunição, permitiu-se e necessitou ser passado para trás pelo outro. Isso seria um castigo autoimposto. Escutamos e lemos todos os dias sobre indivíduos cultos, letrados e com boa formação acadêmica caindo em golpes, como pirâmides financeiras, aplicação em dinheiro com retornos estratosféricos, compra de produtos abaixo do preço de mercado etc. Penso que o sacana, o estelionatário, tem uma percepção, uma intuição para rastrear, farejar e atacar essas futuras presas.

Do ponto de vista pragmático, percebemos que muitas pessoas querem se ver livres de tarefas do dia a dia, de checar, conferir, ir atrás, de cuidar, de olhar bem a situação. Vai comprar um imóvel, dá um valor como sinal de compra e venda sem sequer ter verificado no cartório de registro de imóveis se sobre esse imóvel não existe algum tipo de ônus, de penhora. Suponhamos que eu venda meu carro para um sujeito; vamos ao cartório, assino o documento, e ele me paga com um cheque. Quando vou ver, o cheque não tinha fundos. Isso teria sido evitado com a exigência do pagamento por cheque administrativo.

Empresta-se dinheiro a um amigo sem qualquer formalidade, sem um recibo; o amigo morre, e aquele que emprestou, além de perder o amigo, provavelmente ficará a ver navios. Todos sabem que negócios, mesmo entre amigos ou familiares, devem ser documentados. Por que não o fazem? Também é frequente ouvir este tipo de explicação de quem não tomou as devidas precauções: “Temia que ele fosse se chatear se eu pedisse para assinar um documento”. Isso não é desconfiar, isso é o cuidado com a vida. É evidente que, em todas essas situações narradas, houve facilitação para a ocorrência dos problemas.

Vale a pena trazer à tona um novo conceito que rola nas redes: *trollar* – uma gíria da internet para tirar sarro, sacanear participantes de fóruns por meio de argumentos sem sentido, apenas para confundir. Nesse contexto, designa-se por *troll* o indivíduo que tem aquele comportamento, ou seja, que consegue fazer com que alguém "caia" nas suas armações, nas suas sacanagens. O *troll* intelectual, um dos mais comuns nos fóruns, usa vocabulário refinado para se impor no grupo. Foi até criado o jargão *Don't feed the trolls* (Não alimente os *trolls*), para instruir os participantes das comunidades a não darem atenção às provocações deliberadas dos *trolls*. Perceba, leitor, como existem diferentes formas da sacanagem invadindo nossas vidas, mas ela somente causa estragos nas vidas daqueles que lhes deixam as portas e janelas abertas.

Se não ficarmos muito atentos diante do desenrolar da vida, corremos o risco depois de citarmos esta "pérola": "Fui sacaneado". Então, quando escutarem a expressão "me sacanearam", prestem atenção em o quanto o sujeito sacaneado participou do processo, cúmplice por não cuidar adequadamente do que tinha de ser cuidado. Nessa temática, tanto o sacaneado quanto o sacana se portam como transgressores!

Notem, leitores, que aqui mais uma vez procurei reforçar a ideia que transita por todo este livro: "A vida não é boa nem ruim, não é justa nem injusta, a vida é como ela é, com todas as suas idiossincrasias"! Fiquem atentos com os impulsos e desejos que vão nos invadindo. Cada vez que incorporamos novas percepções sobre a vida e suas relações, ficamos mais potentes para lidar com ela, logo, com mais saúde mental. Este é o objetivo deste livro. Ofertar mais saúde mental aos leitores.

3.

As redes sociais estão adoecendo a mente das pessoas

>> *As redes sociais estão sequestrando a capacidade de pensar e de interagir das pessoas. Existe a midiadição, que é uma parente da drogadição. Pessoas estão mais isoladas, esvaziadas e depressivas. Já não se reconhecem sem a validação dos outros, por meio de* likes *e seguidores. A síndrome de FOMO (*fear of missing out*) caracteriza o adoecimento pelas redes e advém de algo como "não me deixem de fora"!* <<

Hoje em dia, vivemos num mundo que parece nos pedir agilidade, pressa; mas para irmos aonde? Para atingirmos o quê? Por consequência, muitas pessoas dizem que se sentem ansiosas com isso, que se veem muito estressadas. E estresse é irmão siamês da ansiedade, da síndrome do pânico, da insônia, da irritabilidade, da falta de atenção e concentração, da perda de produtividade, da somatização, da fobia, da depressão, da perda da libido.

Relatarei agora algo que se passou comigo certo dia. Eu estava concentrado fazendo uma tarefa importante, quando o celular começou a tocar. Evidentemente, tive o forte impulso de atender. Parei, pensei e percebi que não tinha a menor importância se eu atendesse ou deixasse de atender o celular naquele exato momento, além do mais, não sou médico que atendo urgências. Ora, o ímpeto de fazer as duas coisas ao mesmo tempo – continuar com minha tarefa e falar ao telefone – era manifestação momentânea de pura ansiedade. Outras vezes, entre uma tarefa e outra no meu trabalho, sou impelido a querer olhar as mensagens do meu celular. Fiz algo que tem me ajudado, retirei o som das mensagens, assim é um estímulo externo a menos na minha vida. Não seria exagero denominar essa fixação exagerada com as redes como uma "midiadição"? Dirá o leitor: "Mas um psiquiatra, alguém que atua no campo da saúde mental, também fica ansioso?". Sim, caro leitor, sou igualzinho a você e, embora tenha teoricamente intimidade com a vida emocional, saiba que também fico ansioso. A vantagem é que busco entender o porquê de estar ansioso e me ver livre, o mais rápido possível, desse sentimento. E me percebo, frequentemente, flertando com várias coisas ao mesmo tempo, o que não deixa de ser uma construção de estresse.

Quantos dos que estão agora lendo este capítulo têm uma vida assim, querem fazer uma série de coisas ao mesmo tempo? Enfim, a vida contemporânea nos empurra para essa multiplicidade de ações quase que concomitantemente. Logo, o estresse está à espreita para nos açambarcar e, por consequência, deixar nossa mente menos atenta e produtiva.

Há um elemento que pode passar despercebido, mas que é responsável, hoje, por parte da carga de estresse que nos assola: as mídias sociais invasoras e implacáveis da vida das pessoas. Elas fizeram surgir algo tragicômico envolvendo as tais de mensagens por aplicativos, como o WhatsApp. As pessoas enviam mensagens e ficam esperando ou até exigindo resposta instantânea. Acabam, muitas vezes, aborrecidas se não recebem resposta em poucos segundos, como se todos estivéssemos com o celular à frente, mesmo caminhando na rua, ou nos banhando, com o olho na tela para continuamente ver o que chega de mensagens. Observe-se a maluquice desse comportamento, de uma tal exigência que, ao cabo, é a vida da maioria das pessoas, logo, das nossas relações. Elas mostram-se magoadas, rejeitadas, quando nos dizem: "Eu te mandei Whats faz cinco minutos, mas ainda não respondeste".

Enfim, agora estamos assim, reféns de aplicativos de mensagens. Ou, quem sabe, no desejo dos outros de controlar nossas vidas. Logo, as pessoas tornaram-se invasivas e abusadoras. O indivíduo nos passa uma mensagem e acha que temos de responder instantaneamente, pois talvez a mensagem lida e respondida sem demora significasse que ele é valorizado, considerado, e que nos importamos com ele. Quanta tolice! Não ficaria bem para um psiquiatra usar palavras como besteira ou tolice, poderia soar como falta de empatia. Vamos trocar, então. Quanta "neurose" se esconde nessa cobrança de respostas imediatas às mensagens enviadas. Penso que o sujeito que age assim se acha muito importante. Talvez poderia ser uma demonstração de que se trata, no fundo, de uma pessoa fragilizada, insegura, que precisa de retornos imediatos. Precisa da validação do outro, por meio da pronta resposta. É uma forma de adoecimento mental, na medida em que não sei nem quem sou nem o quanto me considero ou não alguém legal.

Sobre o uso dessas mídias, *onde mora o perigo*? Está exatamente no fato de as pessoas, enquanto se comunicam virtualmente o tempo todo, descuidarem-se das próprias vidas. E o que é descuidar da vida? As pessoas não conversam mais entre si frente a frente, não leem, não estudam, não assistem a um filme, já abdicaram de pensar. Geralmente, usam seu tempo enfiadas no Facebook, Instagram, WhatsApp, Telegram, TikTok, que podem se constituir em espaços solitários, mesmo acompanhados por milhares de seguidores. Não seria exagero considerar que essas mídias segregam pessoas, levam-nas ao isolamento, gerando sensação de não pertencimento, abatimento, ansiedade e depressão.

Percebam o grau de adoecimento emocional que as mídias sociais vão causando para muitos. "FOMO" é a sigla da expressão em inglês *"fear of missing out"*, algo como "medo de ficar de fora", que se caracteriza por uma necessidade constante de saber o que outras pessoas estão fazendo, postando, quais *likes* estão trocando. Também ocorrem sentimentos de ansiedade, que impactam fortemente as atividades de vida diária, inclusive na produtividade no trabalho. É como se o pensamento do portador dessa síndrome estivesse aprisionado nas redes sociais, como se a pessoa não conseguisse administrar seu pensar. Não deixa de ser uma "piração", uma loucura! Pessoas que têm FOMO necessitam constantemente se atualizar nas redes sociais, mesmo durante a noite, no trabalho, durante as refeições ou, imprudentemente, ao dirigir. Esse comportamento é resultante da angústia causada pela insegurança de viver *off-line* e pode gerar adoecimento emocional, estresse, mau humor, desconforto ou mesmo depressão.

Valeria fazer aqui um trocadilho: a FOMO não deixa de ser um tipo de FOME, a do sujeito que, por mais que se alimente nas mídias sociais, está sempre vazio, sente um vácuo interior e se sente abandonado. Passa a viver com sensação de que sempre lhe falta algo e que essa falta será preenchida pelos outros, por meio das mídias sociais. Imaginem se tivéssemos FOME e, mesmo nos alimentando adequadamente, continuássemos com um vazio no estômago. Morreríamos de tanto comer, mas seguiríamos com FOME. Assim são as redes sociais, não saciam, não preenchem nunca. Caldo de cultura perfeito para se desenvolver uma doença mental.

Evidentemente, os jovens são os que se encontram mais encarcerados nas mídias, e já percebemos que se expressam por meio da linguagem e da escrita de forma empobrecida. É a geração do "acho", em que predominam opiniões sem embasamento adequado.

Então, sim, vamos prestar atenção em como estamos presos às redes, como se nossas vidas não nos pertencessem. Sim, as pessoas estão mais ansiosas e vão ficar mais ansiosas, porque não estão olhando para si mesmas, mas para fora delas, para o que está acontecendo no ambiente virtual. É bizarro, ou seja, buscam-se fora, no virtual, elementos para validação de quem cada um é.

Lembrei-me de um outro exemplo. Imaginem uma pessoa apaixonada que passa perguntando para o amado se ele a ama mesmo, como se a pessoa não tivesse capacidade de perceber se é amada. Novamente, aparece a validação vinda de fora, do outro. Isso certamente será um importante elemento que ocasionará adoecimento mental em muitos; perderão o sono, ficarão mais nervosos, irritadiços, explosivos, perderão a capacidade de intuir, pensar, concluir adequadamente, encontrarão dificuldade para transar, comerão com mais voracidade, e virá o sobrepeso. Essa ansiedade dos tempos atuais ronda nossas vidas e poderá consumir nossas parcas energias.

A velha e conhecida ansiedade que alguns sofriam no passado e que se relacionava com a vida real agora se apresenta com nova roupagem e com disfarces múltiplos. Recebeu, na modernidade da era das tecnologias de informação, um aliado importante, as mídias sociais, que nos impõem estarmos *on-line* em tempo integral. Estarmos *on-line* pode, paradoxalmente, significar que, na verdade, estamos, do ponto de vista psicológico, *off-line*, isto é, desligados, desconectados, impedidos de avaliar como estamos pensando, agindo, interagindo, nos expondo. Existiria um pior cenário do que esse?

As mídias sociais aumentarão as separações dos casais, pois a intimidade, a parceria e a cumplicidade na relação a dois foram para o "brejo". Percebam que as pessoas já não falam mais entre si, pois, mesmo estando juntas, estão cada uma com suas conexões, que obviamente não é o outro que está ao seu lado.

A capacidade de aprendizado e desenvolvimento acadêmico dos jovens também está comprometida, pois eles não prestam atenção em aula, não leem, não buscam conversar com os pais. A fonte inesgotável de informações e aconchego é o "tio Google"!

A depressão cresceu muito nessas pessoas que estão dependentes das redes sociais, pois perderam o contato humano, mesmo dentro de suas famílias, e isso causa depressão. Percebam que estamos falando menos e enxugando as frases e palavras: "bora, findi, sextou"! Na depressão, as pessoas também começam a falar menos!

Em tempo, para que alguns leitores não me crucifiquem em praça pública, reconheço a importância em nossas vidas desses recursos das redes sociais, internet, WhatsApp, e o quanto nos trouxeram avanços em todas as áreas da vida humana. Teremos de seguir usufruindo dessas mídias, tirar o maior proveito delas, mas também devemos prestar atenção para que não fiquemos escravizados e imbecilizados pelo seu mau uso.

4.

O *workaholic* é um doente mental?

>> A sociedade de consumo contemporânea é exigente com relação ao trabalho. As pessoas precisam ser produtivas em seu ramo de atividade. Nem sempre as exigências profissionais viciam esse indivíduo, mas pode essa dependência ser gerida por conflitos psicológicos dessa pessoa. Esses sujeitos são chamados de workaholics, *ou seja, viciados em trabalho. O trabalho em excesso pode ser uma estratégia inconsciente para dissimular dificuldades psicológicas, afetivas, pessoais. É como se a única fonte de prazer fosse o trabalho. <<*

Quem primeiro abordou o fenômeno *workaholic* como tema de estudo foi o psicólogo norte-americano Wayne Oates, em 1968, a partir do relato de sua própria experiência laboral, ao se comparar a um alcoólatra. O autor afirmava ser também um viciado, mas em trabalho. *Workaholic* é um termo originário da língua inglesa, formado por "*work*" (trabalho) e "*holic*" – um sufixo que indica vício, dependência, como em "*alcoholic*", que significa alcoólatra ou alcoolista.

Abordarei aqui esse assunto que está em voga nas últimas décadas, pois mergulhamos para valer na sociedade de consumo, em que há o imperativo da produtividade: as pessoas enfrentam excessivas demandas laborais, e muitas delas se escondem atrás do trabalho e se tornam "viciadas" em trabalho. No primeiro parágrafo deste texto, está o sentido de eu escrever sobre o tema. Notem que o termo *workaholic* indica uma conduta doentia, na medida em que o sufixo "*holic*" sinaliza vício. Construirei, a seguir, algumas observações que pretendem questionar essa ideia de ser uma atitude conectada a um desvio da normalidade.

Vale também esclarecer que não existe, na literatura psiquiátrica, a palavra alcoólatra, que significa adorar o álcool. Ninguém adora o álcool; as pessoas são dependentes do álcool, são submetidas pela dependência, adoecem pelo uso, por isso a medicina usa a denominação alcoolista.

O mundo corporativo é feito, muitas vezes, de indivíduos motivados pela alta competitividade ou ainda por alguma necessidade pessoal de provar algo a alguém ou a si mesmo. Esse cenário poderia ser um bom caldo de cultura para pessoas se tornarem viciadas no trabalho. Um *workaholic* geralmente não consegue se desligar de sua atividade mesmo fora dela, por isso muitas vezes deixa de lado sua vida pessoal, seu parceiro, seus filhos, pais, amigos e a família. Amigos acabam sendo apenas os que convivem no ambiente de trabalho. Um dos maiores receios de um *workaholic* é o medo de fracassar, e isso faz com que ele se condicione e continue sempre dando o máximo de si na busca por mais resultados.

Podemos citar alguns fatores que estimulam o indivíduo a trabalhar mais e desenvolver o dito vício em trabalho. Seriam sujeitos com grande tolerância ao cansaço, capacidade para automotivação, elevada exigência pessoal, perfeccionismo, que trabalham com o que gostam, buscam autonomia, *status*, centralização, sentimento de obrigação, veem o trabalho como solução para o vazio, como redução da angústia, têm medo de perder o lugar conquistado, sentem insegurança, entre outras características.

Ao trabalhar muito, alguns indivíduos conseguem reduzir as suas tensões psíquicas. O curioso é que mesmo aqueles que relatam sentir-se obrigados a trabalhar em excesso não registram situações de lazer e descontração quando não trabalhavam tantas horas extraordinárias.

Dividiria em duas categorias os *workaholics*: a dos que sentem prazer e a dos que sofrem com o trabalho. Na categoria dos que sentem prazer, estão aquelas pessoas que se identificam com a profissão, com a empresa, com o próprio trabalho, sendo possível a elas, por meio dele, desenvolver suas habilidades pessoais e relaxar as tensões psíquicas – o que eleva ao hábito pelo prazer. Já na categoria sofrimento enquadram-se os *workaholics* que conferem obrigatoriedade – por temor, culpa ou necessidade – de manter a prática do trabalho desmedido, apesar de a situação desencadear uma sequência de aborrecimentos, sintomas e conflitos internos.

Em princípio, não se pode afirmar que um *workaholic* seja um doente pelo fato de exagerar no trabalho. Conforme disse antes, existem pessoas que trabalham muito porque têm satisfação com seu trabalho, sentem-se potentes, competentes, ganham dinheiro e, por isso, dedicam bastante tempo à atividade. Até se criou um termo novo para esse tipo que curte muito o trabalho: "*worklover ou amante do trabalho*" – o que trabalha muito porque gosta e consegue gostar da família, de sexo, da vida fora do trabalho.

Woklovers e *workaholics* trabalham demais, tendem a se envolver muito no que fazem. Na aparência são idênticos, mas, se você observa com atenção, as diferenças aparecem. No plano do significado, do sentido que o indivíduo tem do trabalho, a coisa é totalmente oposta. O *workaholic* trabalha muito porque sua vida se resume nisso, não pode viver de outra maneira. O sentido de sua vida é a relação com o trabalho, não com pessoas, lazeres, amores, amigos.

É claro que na vida tudo precisa ser mensurado, olhado, pesado. Atentem que, mesmo antes de Cristo, na Grécia antiga, já havia algumas mensagens interessantes: "nada em excesso". É a prescrição que foi escrita na entrada do templo de Apolo, em Delfos. Existe ainda a máxima de que o trabalho "enobrece o homem". Na verdade, no dia a dia não é bem assim. Esse ditado parece mais uma propaganda falsa, *fake news*, pois para alguns o trabalho pode ter mais um perfil de submetimento e ganhos irrisórios. No caso, ao invés de enobrecer, ele se parece mais com escravidão laboral!

No caso de pessoas que se dedicam quase integralmente ao trabalho, poderíamos entender, à luz da psicologia, como um despiste para dissimular alguma limitação pessoal. Exemplificando, alguém que mergulha fundo no trabalho e usa essa exacerbação como desculpa, digamos, para não sair com o namorado ou a namorada. Diz que tem tarefas acumuladas a serem concluídas, mas, na verdade, trata-se de uma alegação para fugir daquela relação afetuosa que não dá muito prazer. A dificuldade de envolverem-se com relacionamentos afetivos, amorosos ou que impliquem intimidade pode conduzir as pessoas para o hábito do trabalho em excesso. Não deixa de ser um aspecto limitador de bem-estar a ser observado, ou seja, deixar de usufruir alguns prazeres próprios da vida por causa do autoimposto trabalho excessivo!

Então, quando fica caracterizada uma situação como a suposta acima, acredito que esteja clara a condição dita *workaholic*, ou seja, de se servir do trabalho para amaciar dificuldades psicológicas.

O vício no trabalho poderá vir a trazer limitações à vida tanto da pessoa como daqueles que estão ao lado dela. Aí se desenha um detalhe: se o *workaholic* afunda no trabalho – com porções de prazer e notas de desprazer – para equilibrar seu emocional, os que lhe são próximos, seu companheiro ou sua companheira, sofrem por obviamente se verem distantes daquele envolvimento laboral e podem sentir-se preteridos, não amados. Perceba, leitor, que os próximos, os familiares, não deixam de ser considerados pelo *workaholic*, mas o fato é que ele não consegue entregar seu amor ou sua atenção da forma tradicional: entrega o que pode e como pode!

Podemos aqui refletir a respeito das prováveis relações de cunho afetivo que gravitam em torno do sujeito *workaholic*. Para que a relação afetiva não seja recheada por recorrentes conflitos, a escolha do parceiro por esse viciado em trabalho tem de recair em alguém com algum distanciamento afetivo. No caso, esses companheiros também costumam ser mais pragmáticos, racionais e com pouca necessidade de serem afagados por afetos, carinhos e demonstrações amorosas. Essas parcerias costumam dar certo.

Claro que não se consegue mudar a postura de um *workaholic* na base do discurso recriminador, da pressão. Penso que a única maneira de entender e circular no imaginário de um *workaholic* é por meio de psicoterapia. Talvez, alguém que seja das relações do *workaholic* e que tenha boa capacidade de se comunicar poderá falar sobre o assunto. Quem sabe, dizendo que percebe que ele está se evadindo das relações com os outros por meio de um trabalho que nunca chega ao fim, ocupando todo o seu dia – e que gostaria de estar mais junto, que é importante a sua presença efetiva. Claro que *workaholics* sempre têm mil pretextos para justificar o fato de agirem como costumam; dirão que precisam garantir o emprego e o sustento ou que o resultado daquele trabalho se destina à segurança financeira da vida futura.

Vou citar alguns sinais que indicam aquele indivíduo que, sim, é viciado no trabalho, como algo doentio. Fica mal nas férias, angustiado, aborrecido; se puder, vende as férias; fica irritado com feriados e, se forem prolongados, já perde o sono; bebe mais nesses períodos em que não está trabalhando; não faz programação com amigos ou familiares em períodos de folga profissional; não consegue fazer viagens sem estar conectado todo o tempo no trabalho, por meio das plataformas digitais; costuma ter sintomas compatíveis com transtorno obsessivo, como ter disciplina exagerada, cumprir horários com muita rigidez, ser metódico e cheio de regras e rituais; diante da aposentadoria, tenderá a se deprimir e ter sintomas de adoecimento mental.

Alguns *workaholics* poderão ser fortes candidatos a desenvolver a síndrome de *burnout*. É um distúrbio psiquiátrico que se caracteriza pelo esgotamento físico, mental e psíquico do indivíduo. A dedicação intensa e exagerada à vida profissional, sem que a pessoa tenha momentos de relaxamento, é a principal causa para o desenvolvimento dessa síndrome. Também se percebe, nessa população de viciados em trabalho, que estão fortemente conectados ao que chamamos de espectro do transtorno obsessivo-compulsivo (TOC). O trabalho vira uma compulsão socialmente aceita.

Evidentemente, não existe medicação que vá resolver a situação dos que desenvolvem sofrimento pela dependência do trabalho. Mas se deve levar em conta que a pessoa muito apegada adicta ao trabalho não se sente mal por isso, vive em meio ao seu trabalho e não se percebe sofrida no que faz. Não é comum essas pessoas desejarem buscar ajuda por meio de psicoterapia. As consequências do dia a dia de um *workaholic*, na verdade, caem sobre familiares – os que estão próximos é que se queixam. Enfim, conforme o ditado que nos veio desde a Grécia antiga, "nada em excesso!" – até namorar e praticar esportes em excesso pode não ser saudável.

Finalmente, é interessante observar que hoje já se vê uma prática empresarial que poderá trazer algum transtorno efetivo à vida dos *workaholics:* muitas organizações não estão interessadas em contratar funcionários com esse perfil laboral excessivo. Cada vez mais preocupadas com a saúde mental dos seus funcionários e em ajudá-los a equilibrar a vida profissional com a pessoal, buscam profissionais mais ecléticos, ou seja, para os quais o trabalho não seja o único sentido da vida.

5.

Que desgraça, ninguém quer mais escutar!

>> *No mundo contemporâneo, as pessoas já não escutam plenamente o que é dito. A tendência dos indivíduos é a de falar verborragicamente. Poderia ser uma necessidade de serem vistos, amados, olhados? Essa atitude revela um problema psicológico, não só de falta de educação. A dificuldade de escutar o outro está relacionada à ansiedade. À ânsia por controlar tudo.* <<

Por que algumas pessoas atropelam nossa conversa? Por que, no meio da nossa explanação, elas nos cortam, não nos escutam, independentemente de concordarem ou não com nossos arrazoados? Muitas vezes nem terminamos de explanar nossas ideias e somos abortados no meio da narrativa! Por que essas pessoas funcionam assim? Provavelmente, vocês vão dizer: "Ah, conheço muita gente assim, são muito mal-educados, são grosseiros, inadequados, chatos". Até podem se parecer com mal-educados, mas esse comportamento não tem nada a ver com educação, com inteligência, com formação intelectual. Está relacionado a aspectos psicológicos, emocionais, mentais da pessoa. Talvez o leitor nunca tenha se deparado com essa premissa que estou oferecendo aqui.

Todos os seres humanos têm ansiedades – maiores ou menores. A vida pressupõe ansiedade, porque viver é uma experiência difícil e finita, em que nos vemos impotentes a todo momento diante de frustrações, perdas, enganos, tapeações, mentiras etc. Recentemente, com a pandemia da Covid-19, percebemos um sinal evidente de nossa impotência, ficamos de certa forma paralisados em face do que assistíamos. Tivemos aí uma amostra global de como a vida é complicada e nos impõe limitações.

Então, não saber ouvir o outro não é um problema de educação ou intelectual, é um problema ligado à mente das pessoas e que está relacionado à ansiedade. Existem duas vertentes mais duradouras de ansiedade que nos assolam. Uma de origem mais biológica ou bioquímica, relacionada a neurotransmissores, podendo ter base familiar ou genética. Existem doenças psiquiátricas que geram ansiedade, como fobia, déficit de atenção com hiperatividade, síndrome do pânico, transtorno de humor – bipolar ou depressivo, TOC, transtorno pós-traumático etc. Atente, leitor, para o número de doenças que geram ansiedade. A ansiedade aparece como um dos sintomas da doença, e muitas pessoas com esses problemas não conseguem interagir de forma adequada. Esses indivíduos precisarão fazer uma avaliação psiquiátrica, bater um papo com esse profissional, ter um diagnóstico. Existem bons medicamentos para essas doenças que citei, com ótimos efeitos, sem risco de viciar os pacientes.

Mas aqui não irei me ocupar de doença química, doença psiquiátrica. Vou me centrar na outra fonte geradora de ansiedade, ligada aos aspectos emocionais, na personalidade das pessoas. Como se constroem e se estruturam essas mentes agitadas que não conseguem ouvir? Geralmente essas ansiedades de não escutar o outro se constroem no correr da vida, vêm da infância, de relações familiares doentias, de pais que desrespeitavam as crianças, que as atropelavam. Então, as crianças, com receio de repetir esse padrão na vida adulta, vão elas sendo abusadoras, na medida em que não escutam e querem impor o que pensam.

Sabemos que um dos maiores desejos do ser humano é o de controlar, o de tomar conta de tudo. As crianças são controladoras nota dez. Uma criança com três, cinco, seis anos é mandona. Se as coisas não saem como elas querem, passam a gritar, rejeitar a comida, chorar, jogar longe brinquedos ou objetos, e, não raro, conseguem controlar o ambiente por meio dessa estratégia. Alguns indivíduos crescem e continuam assim; se as coisas não saem como eles querem, ficam mais ansiosos, irritados, falantes. Essa ansiedade provavelmente advém dessa maneira de agir, de viver, que chamo de "armadilhas emocionais do dia a dia". Perdemos a vontade de estar com pessoas assim, porque percebemos claramente que não nos escutam, estamos conversando, mas elas não nos ouvem, estão preparando o pensamento para uma réplica, para desqualificar nossa conversa ou para mostrar o quanto elas têm razão. Imagine em ambiente de trabalho alguém com tal comportamento; nas relações amorosas, alguém com quem se vive e de quem se gosta agindo dessa forma. Os pais querendo impor sua forma de pensar aos filhos.

O ser humano desenvolve esse desejo de controle até como um artifício para se sentir mais poderoso na vida. Atente para isto: um artifício, um faz de conta. Quero dizer que o mecanismo de não escutar o outro é uma estratégia inconsciente, mas que não funciona. Por que não funciona? Porque continuaremos impotentes. A potência se vai buscar no trabalho, no estudo, tendo amigos, passeando, lendo, fazendo um esporte, namorando. São maneiras de nos sentirmos potentes – de vincular-se à vida. Temos de tirar coisas da vida, preenchê-la, pois ela não vem pronta.

O que fazer diante dessas pessoas? Provavelmente, vocês já identificaram muitas delas. Preste atenção se você se percebe assim. Caso tenha próximo de si alguém com esse comportamento, a atitude recomendável será a de falar para a pessoa – evidentemente, sendo alguém com quem você conviva e tenha intimidade. Falar delicadamente, dizendo: "Olha, é difícil, às vezes, estar com você, conversar com você, você não escuta, interrompe a fala dos outros". Em várias ocasiões, eu já disse para pacientes em meu consultório: "Você vem à consulta e me paga, mas quando começo a falar você me interrompe, não me permite concluir a minha reflexão". Se no consultório comigo essa pessoa funciona assim, imagina como deve ser no seu cotidiano!

Claro que isso é uma forma atrapalhada, confusa, de se relacionar. Então, falar para a pessoa sobre o que está acontecendo me parece importante. Eventualmente, se essa condição é muito forte, quem sabe sugerir que ela procure um apoio psicológico ou psiquiátrico, fazendo uma terapia ou até usando medicação.

Evidentemente, hoje as mídias são ambientes de comunicação com distanciamento, porque todo mundo fala para si mesmo, não há propriamente interlocução, basta postar na rede, não há uma interlocução direta. Então, esse também é um problema, cada um se permite dizer qualquer coisa que lhe venha à cabeça porque não há contraponto, e, se existir, não importa. Vivemos um momento em que as pessoas estão desejosas de serem ouvidas, aplaudidas e queridas, mas não desejam ouvir ninguém. Aí existe um caldo de cultura perfeito para surgir a ansiedade.

Enfatizo que o não saber, ou pior, o não conseguir escutar é uma tendência complicada para todo tipo de relacionamento. Também acredito que o distanciamento que desenvolvemos nas relações nos deixa com um vazio interior, e, para que o outro nos olhe e nos dê alguma atenção, o artifício "neurótico ou doentio" é roubar a palavra, como se assim se conseguisse ser observado e valorizado.

Se você percebe que, em um diálogo, há uma tendência de réplica, tréplica, constante, fique atento, pois essa tentativa de comunicação pode se tornar estéril. Diante de uma situação dessa natureza, talvez o melhor seja retirar-se do assunto e tentar abordar em outro momento.

6.

Burnout – o trabalho enobrece ou adoece o homem?

>> *Prestem atenção nesta palavra! "Burnout!" Ela indica adoecimento mental e físico decorrente do trabalho. Que situação inusitada estamos vivendo! O diagnóstico de burnout é subjetivo e dependerá somente das informações do paciente. Sendo doença ocupacional, os benefícios serão abrangentes. O trabalho deveria enaltecer o homem, mas o está adoecendo?* <<

Importante, antes de nos aprofundarmos no tema *burnout*, conhecermos um pouco da história do psicólogo americano, Herbert Freudenberger, o pai do *burnout*. Nasceu em 1926, em Frankfurt, na Alemanha. Com os nazistas no poder, sua família percebeu o risco que se avizinhava e providenciou que em 1933 ele fosse para os Estados Unidos. Teve sérias dificuldades para se manter em Nova

York, até um primo acolhê-lo. Era estudioso e conseguiu ingressar em boas universidades.

Em 1960, já como psicólogo, começou a atender pacientes em uma clínica de dependentes químicos e moradores de rua na Califórnia, pessoas com vulnerabilidade social. Percebeu que os funcionários dessa clínica também adoeciam emocionalmente e precisavam de seus cuidados, pois também tinham esgotamento acarretado por tal tipo de trabalho. Ele mesmo sentiu na carne o desgaste, estresse, exaustão e sensação de enxugar gelo decorrentes desses atendimentos.

Interessou-se e começou a estudar o problema. Em primeiro lugar, não sabia que nome daria para esse adoecimento emocional que percebia. Acabou buscando o nome "*burnout*" na gíria usada pelos próprios usuários de drogas; seria "queimar por completo, esgotamento total, físico e mental". Os dependentes sentiam-se sem forças, sem energia alguma, e diziam que eram como um fósforo que queimara até o fim.

Interessante que, já na época de Freud, em 1920, existia um termo chamado "neurastenia", que seria um transtorno psicológico caracterizado por enfraquecimento, esgotamento emocional, dor de cabeça, cansaço excessivo ou tristeza. Freud achava que poderia ter relação com desejos sexuais reprimidos, falta de libido e de prazer sexual. Percebam que os sintomas têm alguma semelhança com os do *burnout*.

No *burnout*, inicialmente, a pessoa começa a abater-se física e emocionalmente, perde as forças para trabalhar. Depois, brotam o desinteresse e o descaso pelo trabalho, surgem repulsa e pouco caso. Parece desejar-se ser despedido. O indivíduo relaciona-se com desprezo com os colegas e clientes. Em seguida, vem a falta de produtividade. O sintoma típico da síndrome de *burnout* é a sensação de esgotamento físico e emocional, que se reflete em atitudes negativas, como ausências no trabalho, agressividade, isolamento, mudanças bruscas de humor, irritabilidade, dificuldade de concentração, perda de memória, ansiedade, depressão, pessimismo, insônia, baixa autoestima.

Também há sintomas físicos: dor de cabeça, enxaqueca, cansaço, sudorese, palpitação, pressão alta, dores musculares, crises de asma, distúrbios gastrintestinais são manifestações físicas que podem estar associadas à síndrome.

Burnout é uma "síndrome". Na medicina significa um conjunto de sintomas, não uma doença específica, como diabetes ou depressão. Não há exames nem avaliação específica para se diagnosticar a doença e, também, não existe nenhum tratamento específico com remédios. É uma patologia ligada ao trabalho. É como se um estresse crônico, não tratado, se convertesse em *burnout*. Se no trabalho sempre somos cobrados por metas e não as alcançamos, ocorrerá um estresse negativo, que, mantendo-se por um tempo, é a porta de entrada para o *burnout*.

O *burnout* está ligado ao excesso de trabalho, mas existem várias situações nas relações com o trabalho que podem levar ao desenvolvimento desse quadro doentio. Pode estar ligado à falta de conexão entre o profissional e o ambiente de trabalho. Se as relações no escritório são quase inexistentes – ou pior, tóxicas –, a síndrome pode aparecer mesmo sem longas horas de trabalho. Nesse quesito, entram questões como assédio, *bullying* e exclusão, que elevam o estresse e tornam a permanência no trabalho insustentável.

O trabalho em si pode até não ser negativo, mas o distanciamento entre os colaboradores pode ser um fator adverso. A descaracterização das pessoas ocorre e muda a forma de se referir a elas – os colegas deixam de ser indivíduos e se tornam "o chefe tirânico", "o puxa-saco", "a chata do RH". A sensação de que o seu trabalho não vale nada para a empresa, a chamada "falta de recompensa", pode estimular o *burnout*. Quando falamos de recompensa, falamos não só de incentivos financeiros, mas também de formas mais subjetivas de reconhecimento, como elogios por parte de um gestor. Estudos sugerem que meros *feedbacks* positivos aumentam a eficiência de profissionais por darem um empurrãozinho na autoconfiança.

Cita-se como outro fator de risco para o *burnout* a falta de controle e autodeterminação sobre o próprio trabalho – não ter liberdade para fazer suas escolhas ou exercer sua criatividade. Sua função, nesses casos, é meramente reproduzir ordens de cima, sem chance de questioná-las. O gestor, em geral, mantém uma mão de ferro sobre os trabalhadores.

A pandemia do novo coronavírus piorou a incidência de *burnout*, aliás, foi um ponto de virada sem precedentes para a saúde mental. Especialistas já consideram que as consequências da pandemia no bem-estar serão "a próxima pandemia". Todos começaram a trabalhar mais. Em razão do *home office*, em empresas de diversos países, o tempo de conexão com o trabalho aumentou em duas horas por dia.

Percebe-se que os chamados *millenials*, nascidos entre 1981 e 1996, seriam a "geração mais suscetível ao *burnout*". Talvez apareçam mais os sintomas nesses jovens, pelo fato de falarem mais sobre o assunto que os chateia no trabalho e por buscarem ajuda com mais frequência, em vez de chegarem a suas casas e tomarem várias cervejas para se acalmarem. Por isso, cuidar da saúde emocional dos colaboradores não é mais um luxo ou diferencial para organizações diferenciadas; é uma necessidade. A introversão se mostrou um fator de risco para o *burnout*. Uma hipótese é que introvertidos tendem a esconder mais as críticas e reclamações e acabam internalizando o estresse, até ele se tornar crônico. Também podem acumular ansiedades e gozações dos colegas sem reagirem.

Mas, se de fato estamos vivendo uma pandemia de *burnout*, livrar-se dela será uma tarefa complexa. Pandemias sanitárias duram alguns anos. Pandemias culturais atravessam gerações. Minha preocupação, como psiquiatra, em relação ao *burnout* se deve ao fato de que, não tendo critérios objetivos para diagnosticá-lo, corremos o risco de esse diagnóstico ser dado apenas pela informação oriunda do trabalhador. Lembrem que um psiquiatra não tem como avaliar se os sintomas descritos pelo paciente são verídicos, mesmo em outras doenças psiquiátricas. Já acompanhei situações, em perícias psiquiátricas, em que um colega forneceu um atestado para uma pessoa dizendo que essa pessoa tinha depressão e que esta era decorrente do trabalho daquele paciente. Indaguei ao colega como ele tinha chegado à conclusão de que a doença depressiva daquela pessoa tinha relação com o ambiente de trabalho. Surpreendentemente, disse-me que o funcionário relatara as ditas condições nocivas do trabalho, e as acatou como se fosse uma verdade ou prova cabal! Esta é a grande questão, como se fazer de forma fidedigna e confiável o diagnóstico de *burnout*.

O Maslach *Burnout* Inventory (MBI) é uma escala de avaliação para *burnout*. Trata-se de um questionário cujo objetivo é identificar as três dimensões da síndrome. Mas vale lembrar que ele não é uma ferramenta diagnóstica; o MBI foi desenvolvido mais para ser uma ferramenta de pesquisa de psicologia do que para uso em consultório, logo, não serve para se fazer diagnóstico de *burnout*. A pesquisadora que o criou é muito respeitada em relação a esse tema.

O trabalho parece estar virando um calvário na vida das pessoas. Talvez a ideia de tudo poder ser feito *on-line*, e com a pandemia, tenha acentuado essa temática, e as pessoas já não estão querendo estar no ambiente físico do trabalho e cumprir horários. Imagino que teremos uma enxurrada de trabalhadores sendo, por um lado, diagnosticados com *burnout* e penso no sobrepeso que isso pode acarretar para os cofres públicos e também para as empresas. Por outro lado, quem irá oferecer tratamento a essas pessoas, como psicoterapia, avaliação e tratamento psiquiátrico, reinserção e capacitação para outro tipo de trabalho de que a pessoa goste mais? Evidentemente, o governo não dispõe profissionais para esses atendimentos especializados.

Desde o dia 1º de janeiro, a síndrome de *burnout*, que muitos conhecem como síndrome do esgotamento profissional, foi incorporada à lista das doenças ocupacionais reconhecidas pela Organização Mundial da Saúde (OMS). Assim, os indivíduos diagnosticados passam a ter as mesmas garantias trabalhistas e previdenciárias previstas para as demais doenças do trabalho. O trabalhador diagnosticado terá direito a quinze dias de afastamento remunerado. Acima desse período, receberá o benefício previdenciário pago pelo INSS – o auxílio-doença acidentário, que garante a estabilidade provisória, ou seja, o indivíduo não poderá ser dispensado sem justa causa nos doze meses seguintes ao seu retorno.

7.

O pior cego é o que não quer ouvir!

>> Reformulo o ditado "O pior cego é o que não quer ver" para "O pior cego é o que não quer ouvir". É difícil, para o indivíduo, perceber suas armadilhas emocionais. A cegueira psicológica é um mal permanente que afeta o ser humano. Cada pessoa enxergará, escutará e interpretará dado acontecimento de forma diferente. A leitura da realidade sofre uma grande distorção, pois nossa psique sempre deformará a realidade. Organizamos nossas vidas sobre dois suportes: um intelectual e outro emocional. <<

O pior cego é aquele que não quer ver, diz o velho ditado, e ditados são sempre sábios, pois tocam fundo em nosso imaginário. Mas o que efetivamente ele nos ensina ou indica para que reflitamos? As pessoas observam fatos, escutam, leem, e as situações deveriam ser iguais para todos. Agora, entre enxergar e registrar no imaginário, há um grande fosso. O jogo das palavras torna a linguagem e o sentido das frases fantásticos. O cego não vê, e o pior cego é aquele que, vendo, distorce ou nega o que viu. Reformulei o ditado e digo: o pior cego é o que não quer ouvir! No sentido de que, se distorço o que vejo, também distorcerei o que escuto! Logo, os ditados acima indicam essa distorção entre a realidade e o imaginário das pessoas. Parece surreal, mas esse é o ser humano, com suas idiossincrasias!

Vou fazer uma provocação ao leitor. Suponha que alguém pegue o celular e tire a foto de uma situação – digamos, uma paisagem, árvores, animais –, e depois, ao mostrar a foto para outras pessoas, cada uma enxergue de uma maneira distinta o que foi fotografado. Como assim? Pois é mais ou menos assim que funciona o nosso imaginário. Ele retira, acrescenta, distorce a realidade quando registra na nossa mente aquilo que enxergamos. Mas diante de palavras, conversas, ações, a pessoa tende a também distorcer as coisas. Digamos que cada um faz sua "leitura ou seu registro". Essa deformidade tem relação com o psiquismo e com a personalidade da pessoa. As experiências de vida são determinantes na configuração de nossas personalidades e na construção dessas distorções. Quanto mais experiências vividas e sofridas – como abusos, sofrimentos, doenças mentais, perdas, mortes, brigas familiares, restrições alimentares e financeiras –, maior é o risco de a mente dessa pessoa sofrer algum tipo de comprometimento. Isso pode levar a indivíduos mais desconfiados, introvertidos, explosivos, medrosos, enganadores, deprimidos, inseguros etc. Outro viés que leva à distorção da realidade são as doenças psiquiátricas e as dependências químicas.

Reforçando a ideia da distorção, temos de trazer para este texto o poder das *crenças*, dos *preconceitos* e das *ideologias* que carregamos na mente. Quando escutamos uma notícia, uma fala, vemos uma cena, quando lemos um texto, assistimos a uma partida de futebol, nossa mente é bombardeada por pensamentos e ideias já estabelecidos nos porões da nossa psique. No futebol, uma falta feita por um jogador do nosso time vemos como normal, mas outra parecida feita pelo atleta adversário, para nós, mereceria um cartão amarelo. Perceba, leitor, com é difícil domar esse pensar e mesmo o ouvir, já que existem muitas ideias elaboradas, sedimentadas na nossa mente. É como se a mente já tivesse tudo pronto, por meio de preconceitos, crenças, ideologias, e nos induzisse a distorcer a realidade. Quanto mais ideias preconcebidas, mais somos reféns do nosso imaginário.

A capacidade de ser mais ou menos atentos, criativos e resolutivos dependerá do grau de comprometimento do nosso inconsciente por essas crenças, preconceitos e ideologias. Perceba como é difícil não existir alguma distorção. Estou dizendo que, de certa forma, todos temos uma miopia emocional e psicológica, que todos temos algum grau de distorção entre aquilo que acontece e o que registramos. Então, como poderemos querer que uma pessoa enxergue aquilo do jeito que estamos vendo, até porque o nosso "jeito" de perceber também já sofre distorção?

Gosto de oferecer uma visão plástica, coreográfica, para exemplificar como balizamos nossas vidas. Imaginem o desenvolvimento de nossas vidas sustentado por duas colunas hipotéticas. Uma estaria vinculada à formação intelectual – cultura, conhecimento, vida acadêmica, capacidade técnica da pessoa. A segunda coluna é o suporte emocional, psicológico, as relações afetivas, com que, na maioria das vezes, temos pouquíssima intimidade. Essas duas colunas são essenciais para sustentar a vida. Tendemos a desenvolver mais a coluna intelectual porque é mais fácil de investir nela. Mas afirmo, sem sombras de dúvida, que a mais relevante é a emocional. Se ela não estiver bem embasada, a casa cairá. Este livro fala exatamente da sustentação emocional da vida. Há pessoas que são muito intelectualizadas, muito cultas, e usam esse saber para encobrir suas deficiências emocionais, psicológicas, afetivas, amorosas. Quero observar que pessoas muito intelectualizadas podem se atrapalhar no contato mais íntimo e afetivo com os outros. A racionalidade pode ser o único sentido da relação em detrimento de intimidades que advêm dos subterrâneos do imaginário ou emocional.

Então, voltemos à cegueira emocional, que nos deixa incompetentes e obtusos para perceber o outro e a nós mesmos e que atrapalhará as nossas relações. Pessoalmente, apesar de ser psiquiatra e com longa experiência como psicoterapeuta, estou sempre de olho em mim, observando-me atentamente e observando minhas reações. Se percebo que estou irritado, ansioso, aborrecido, abatido, procuro dar uma espiada nas minhas entranhas e tentar entender por que estou assim. Creio que essa tentativa de gerenciar os porões do meu inconsciente é essencial. Assim diminuo o risco de distorcer e tento não ser esse cego que também não ouve!

Mas com relação a isso, vou trazer um desafio maior. Imaginemos uma conversa com alguém que teria uma posição hierárquica acima da nossa. Poderia ser um professor, um gerente, um CEO, um político, e essa pessoa tenta nos influenciar, aliciar, para que sigamos seus passos ou pensemos como ela. O que fazer diante de uma situação como essa, diga-se de passagem, bem comum no cotidiano das relações? Como poderemos colocar luz nessa mente para que possa adulterar menos e tenha uma percepção, uma visão melhor em relação a sua postura. Claro que de pronto vocês pensarão: "Não dá para afrontar esse indivíduo, pois corremos o risco de algum tipo de represália ou punição". É como se fosse um filho que se submete aos pais somente por reverência ou por temê-los. O melhor cenário nessas situações exemplificadas seria uma atitude ou conversa clara, objetiva e franca, talvez algo assim: "Vou fazer uma revelação difícil para mim. Quando você fala comigo, tenho me sentido desconfortável, até um pouco acuado. Você acha que faz sentido essa minha percepção?". Outra saída é escutar e deixar para retomar o assunto num outro momento, quando as emoções estarão mais asserenadas.

Tenho uma frase que uso, em alguns momentos, quando preciso dizer algo mais intenso e também para descontrair meus pacientes no consultório. Digo que, com jeito, respeito, atenção e de uma forma carinhosa, até "um tijolo eles poderiam engolir", mas não ficariam aborrecidos comigo. Ou seja, com delicadeza posso dizer tudo para os meus pacientes. Penso que isso vale para todas as nossas relações. Na relação com filhos e familiares, muitas vezes os que têm poder hierárquico se tornam truculentos ao exporem o que pensam ou desejam. Eu, se percebo que me saí mal num momento em que me relacionei com alguém, logo que possível direi a essa pessoa que não gostei da maneira como a tratei.

Então, esse cuidado é fundamental, porque senão a cegueira ou a miopia psicológica vão tomando conta da nossa vida, distorcendo diálogos e fatos e afastando pessoas de nós. Reforçarei aqui um dado, antes de terminar este capítulo: a OMS está estimando que em 2025 a depressão vai ser a segunda doença mais frequente nas pessoas, ficando atrás apenas das doenças cardiovasculares. Claro que existem fatores que podem precipitar o aumento da depressão: as pessoas cada vez mais se contatam pelas mídias, não pessoalmente; há um grande isolamento; há menos intimidade nas relações; os investimentos amorosos desaguam somente no sexo; conversamos menos; somos menos verdadeiros. Então, para se preservar a saúde mental, é bom exercitar a acuidade psicológica, fugindo da cegueira emocional ou psicológica. Espero que este texto ajude a repensar nossa acuidade psíquica.

8.

Não peça desculpas!

>> *Parece um estímulo à má educação esse título. Na verdade, o que desejo oferecer é como devemos nos comportar diante de uma situação em que fomos inadequados ou grosseiros com alguma pessoa próxima. Só pedir desculpas é um ritual que não reflete o quanto entendemos o que se passou. Sugiro uma outra forma de lidar com esses episódios.* <<

Sabe-se lá quantos leitores poderão estranhar o título deste capítulo: como alguém faz recomendação tão contrária aos bons costumes? Porém, o que se quer dizer aqui não se refere apenas a pedir desculpas por atos ou palavras inconvenientes. É certo que se, ao passarmos por uma pessoa, nela esbarrarmos, se na reunião de trabalho entornarmos a xicrinha de café sujando a blusa da colega, se furarmos uma fila sem nos darmos conta e alguém chamar nossa atenção sobre o fato, iremos dizer: "Desculpe-me!". Então, nesses acontecimentos do dia a dia, evidentemente, é necessário e educado pedir desculpas, porque faz parte dos costumes e da cultura.

Mas desejo aqui abordar outro viés desse assunto. Tratarei sobre as relações de maior intimidade que mantemos no cotidiano com pessoas próximas, familiares, colegas de trabalho, amigos, enfim, pessoas vinculadas a nós e por quem também temos afeto e consideração.

Quando procedemos de forma que consideramos inadequada, isto é, fizemos algo que levou a um equívoco ou a um malfeito, fomos atrapalhados ou grosseiros numa conversa, pedir perdão pode não ser o suficiente para nós e para o outro, de maneira que devemos ir além do pedido de desculpas. Percebemos, no dia a dia, que pessoas com quem convivemos às vezes se embaraçam no proceder, são ásperas ao falar, podem até ser grosseiras. E quando isso acontece, o que se costuma ouvir? A pessoa chega rapidamente dizendo: "Ah, desculpe-me, foi sem querer!".

Entretanto, muitas vezes, essa expressão pode ser um procedimento meramente ritualístico, palavra dita friamente, sem maior reflexão. A pessoa verbaliza aquilo como se fosse um ato civilizatório ao dizer para o outro a palavra mágica: desculpe! Também tem uma outra função subliminar só pedir desculpas! É se ver livre, o mais rapidamente possível, do estorvo causado ao outro. Se a pessoa for mais esnobe, dirá "*I'm sorry*". A questão que levanto é se é adequada e pensada essa forma de se expressar ou algo que se joga da boca para fora para somente se ver livre do ocorrido?

Apenas se desculpar, em muitas situações, é pobre, tanto para o que procedeu equivocadamente quanto para o prejudicado pelo que foi dito ou feito. É preciso ponderar sobre o motivo das escusas, sobre a falha na palavra dita ou na ação. Quando acontece algo com uma pessoa que a gente preza, que é próxima, com quem, em determinado momento, nós nos saímos mal, fomos inadequados e grosseiros, é recomendado e nos faz bem procurar a pessoa e falar sobre o assunto. Não precisa ser na hora, porque ainda se estará sob o impacto emocional do sucedido, nem terá dado tempo de avaliarmos o ocorrido. Mas podemos falar um dia, uma semana, um mês depois, mas falar.

Recordo uma situação desconfortável que ocorreu comigo em razão de um deslize com um médico meu amigo. Aquilo deixou em mim um desconforto, um mal-estar. Alguns meses mais tarde, reencontrei o colega, e durante esse reencontro disse a ele do meu desaconchego decorrente das minhas palavras naquela situação passada. Percebi que ele também ficou surpreso com essa minha confissão e parece que também ficou confortado pela franqueza com que falei. Para mim, a confissão me fez muito bem, liberei um mal-estar que me afligia e, só depois de conversar, percebi o bem que me fez!

Lembrei-me de uma outra situação que vivenciei com meu filho de 26 anos, estudante de psicologia. Estávamos buscando, em Porto Alegre, um endereço que não conhecíamos. Eu dirigia, e ele prontamente usou o Google para nos orientar. Começou a me guiar, e eu, estupidamente, disse que não era em outra direção. Percebi a chateação dele. Falou num tom mais elevado de voz que eu o tinha acionado para me ajudar e agora o desqualificava nessa tarefa. Acendeu um sinal vermelho na minha mente! Rapidamente, saí desse papel prepotente e debiloide e disse-lhe: "Às vezes, eu me atrapalho e sou inadequado, como no caso aqui com você. Vamos em frente. Siga me ajudando".

É nesse sentido que a palavra *desculpa* é muito pobre. Parece importante que se possa ir além das desculpas. Falar sobre a ocorrência merecedora de reconsiderações, esclarecer as coisas, para que não vire um faz de conta, uma aparente banalidade da vida, mas que pode deixar alguma penúria em nosso imaginário. Que possamos conversar com o outro sobre aquilo em que nos saímos mal. É recomendado que possamos estar atentos aos nossos movimentos, pois podemos causar algum mal-estar a uma pessoa e nem perceber que ela se chateou, se aborreceu. É frequente a pessoa se incomodar, não verbalizar e demonstrar isso apenas se afastando. A atitude de tratar do deslize igualmente evita que aquilo se torne algo que vá corroendo a quem ocasionou o problema e, muito provavelmente, também ao outro, que sofreu em razão do acontecido.

Considero muito saudável repensarmos um episódio em que não gostamos de nossa atitude. Prestem atenção, não estou sugerindo cobrar de alguém uma reconsideração por algo de que não gostamos que ele tenha feito conosco! Afinal, somos falíveis, todos cometemos deslizes e, se queremos nos aproximar ou nos manter próximos de uma pessoa, se temos consideração por ela, precisamos ter a capacidade do diálogo em situações de estranhamento. Isso de certa forma é uma nobreza da alma, é uma honestidade procedimental, uma sofisticação do emocional; enaltece-nos e nos deixa mais potentes do ponto de vista psicológico. E, provavelmente, a outra pessoa passará a nos dedicar maior admiração.

O não pedir apenas desculpas é um exercício que convido o leitor a fazer, para que desenvolva outras habilidades e ferramentas que lhe permitam lidar melhor com as atrapalhações da vida. Vivemos um período de extrema pobreza nos relacionamentos, na qualidade do pensar e do se expressar. Claro que, nos tempos atuais, as mídias virtuais nos empurram para esse viver mais empobrecido, com menos intimidade entre as pessoas. A grande potência do ser humano não é o dinheiro ou posses, é o pensamento, o pensar, que se traduz em palavras. Por isso, parece urgente que as pessoas se observem mais, que olhem o outro com atenção e, após esse exercício, tornem-se capazes de fazer devoluções sobre situações que causaram desconforto em suas relações.

Porém, para finalizar, apresento outro aspecto muito relevante e emblemático da questão: e se o outro não aceitar nossas considerações ou explicações em relação àquilo em que não nos saímos bem? Mostrar-se brabo? Então, qual seria o próximo passo? Se, após fazermos esse difícil exercício, por meio de reflexões trabalhosas, pensadas e não costumeiras no dia a dia, e revelarmos, entregarmos com afeto ao outro e ele não as aceitar, e seguir ressentido com o fato ocorrido, o que fazer? É fundamental, novamente, respirarmos fundo, pensarmos, elaborarmos essa nova situação. Fizemos a nossa parte, não pedimos desculpas de forma trivial, banal, mas sim elaborada, e mesmo assim nosso amigo, colega, parceiro ou familiar não aceitou nossas ponderações e considerações!

Bem, agora é simples. Não é mais um problema nosso, mas dele, do ofendido que se mostra melindrado e que talvez precise alimentar sua neurose com eternos melindres e ressentimentos. Fizemos a nossa parte, agora só nos resta esperar, aguardar para ver como o outro vai digerir o acontecido. E isso não deixa de ser um indicativo para avaliarmos se desejamos ou não tentar recriar laços afetivos com pessoas ressentidas. Certamente, poderá não valer a pena esse desperdício de energia com os eternos magoados.

Quero destacar que é muito relevante não ficarmos remoendo em nossa "cuca" essas situações em que ocorreram alguns desentendimentos, mal-entendidos ou conflitos. Por que não regurgitar essas ronhas? Por uma razão bem simples, mas de poder devastador em nossa mente: o *sentimento de culpa*! Podemos ficar com esse desconforto, que nos roubará energia no curso da vida. Ele tem o poder de atordoar e paralisar nossas mentes.

9.

O que é ser bipolar?

>> *Doença que está na boca do povo! Há preconceito com relação aos que têm doença mental. A doença bipolar caracteriza-se pela oscilação do humor entre o estado de euforia, agitação, pensamento acelerado, e o depressivo. O diagnóstico desse transtorno, em muitas condições, é difícil até para os psiquiatras. Não existem exames para diagnosticar doença mental, mas há boas medicações para seu controle.* <<

Atualmente, fala-se muito em doença bipolar, um transtorno mental com base genética. No entanto, com frequência, escutam-se comentários um tanto preconceituosos, como "Ah! esse cara é bipolar!". Isso é dito sem qualquer base, sem que a pessoa tenha a doença, puramente como um ataque ao outro. Agora, cabe uma pergunta: alguém teria preconceito com um diabético ou com um hipertenso? É óbvio que não.

A sociedade tem muito preconceito com os sofrimentos de natureza mental ou psiquiátrica. Até foi cunhado um termo para caracterizar essa discriminação: "psicofobia"! Há consequências graves em razão dessa compostura, uma vez que aqueles que precisam de ajuda profissional para superar seus problemas psiquiátricos se sentem constrangidos de buscar esse auxílio com receio de serem tachados de "loucos" pelos demais. A pessoa está doente, mas não consegue falar nem sequer com os mais próximos a ela, amigos ou parentes, sobre seu sofrimento, por medo de ser rechaçada e rotulada. Não é incomum ouvirmos alguém se dirigir ao outro perguntando jocosamente: "Já tomou seu comprimidinho de Rivotril?".

Mas voltemos ao transtorno bipolar. Antigamente, chamava-se esse distúrbio de doença maníaco-depressiva. Basicamente, o que é? Trata-se de uma alteração de humor em decorrência de problemas químicos, problemas genéticos. É uma doença do cérebro, da bioquímica do cérebro; não é algo que a pessoa adquire porque, digamos, teve uma vida mais sofrida; não, essa doença tem base genética.

Desde 1987, trabalho na Santa Casa de Misericórdia de Porto Alegre, onde criei um serviço que se chamava, na época, Serviço de Doenças Afetivas. Usava-se a expressão doenças afetivas, hoje se chamam de transtornos ou doenças de humor. A ideia de se ter um serviço dessa natureza, e especialmente naquela época, é porque a depressão era subdiagnosticada, e dentro de um hospital geral a depressão sempre era maior. No caso bipolar, porque temos dois polos. Um lado, deprimido; o outro, agitado ou eufórico.

Fazer um diagnóstico de doença mental é tarefa complexa para os psiquiatras; para os psicólogos, pior ainda, porque eles lidam menos com essas doenças psiquiátricas. É trabalhoso, uma vez que, em psiquiatria, não existem exames que permitam um diagnóstico, é tudo subjetivo, não se diagnostica por exames, digamos, como o de sangue ou por ressonância magnética. Temos de contar com *feeling* e experiência de cada profissional. Logo, o índice de equívocos é maior que na medicina em geral.

A doença bipolar se apresenta de várias maneiras, não é um padrão repetitivo, como amigdalite ou pneumonia. Em decorrência disso, muitas vezes o paciente bipolar está diante do psiquiatra sem que este consiga fazer o diagnóstico.

Vou tentar explicar de uma forma bem didática, para leigos entenderem. Chama-se bipolar porque o humor pode oscilar – entre dois extremos ou polos. Ou para baixo, deixando a pessoa abatida, triste, desanimada, sem energia, chorosa, e às vezes até com vontade de morrer ou se matar, caso em que estaremos diante de um quadro de depressão. Ou na direção contrária, para cima, quando o indivíduo pode ficar agitado, com pensamento muito rápido, falante em demasia, sem conseguir escutar ninguém, sem sono, hiperativo, com tendência a gastar em excesso ou com desejo sexual desmedido. Nesse caso, chamamos de estado maníaco, mas numa acepção em que popularmente se usa a palavra mania. Vou fazer uma analogia com uma bateria que tem um polo negativo e um positivo.

Criei uma escala ou régua hipotética para tentar explicar a oscilação dos sintomas quando o humor está para cima, acelerado, na euforia. Imaginem essa régua que marca entre zero e cem. Obviamente, quanto maior o número nessa régua hipotética, maior será o grau da doença. Quando a pontuação na escala está acima de cinquenta, o diagnóstico é bem mais fácil, já que o paciente se percebe doente (assim como seus familiares o percebem) e tende a buscar ou aceitar ajuda. O mais complicado surge à medida que a escala ou a pontuação se move abaixo de cinquenta. Note, leitor, que nessa zona da régua imaginária o paciente tem sintomas leves, como pensamento mais rápido, alguma dificuldade para dormir, em suma, apresenta-se agitado e nervoso, digamos, numa escala entre zero e trinta da régua; nessa situação, muitas vezes os psiquiatras não fazem o diagnóstico correto. Ao contrário, podem tratar como se fosse um quadro de ansiedade, prescrevendo medicações que até podem piorar, excitar mais o paciente. Porém, com pontuações altas, suponhamos um valor acima de sessenta, brinco que até o um leigo faz o diagnóstico. Só para lembrar. O paciente na fase dita maníaca, de euforia, não se dá conta de que está doente, ao contrário, julga-se maravilhoso, com energia para dar e vender. Não coloquei a depressão nessa escala, porque o paciente se percebe doente e tende a buscar ajuda.

Temos outras situações de que o leigo já ouviu falar que podem se confundir com doença bipolar. Os pacientes *borderlines*, os que têm hiperatividade com déficit de atenção e síndromes ansiosas. Essas patologias têm alguns sintomas em comum, mas os tratamentos são completamente diferentes.

A parte boa dessa narrativa é que o transtorno bipolar responde bem aos tratamentos com medicações. Quando o paciente está excitado, para cima, os fármacos mais indicados são os ditos moderadores do humor, que funcionam como um amortecedor, para que a doença não oscile. O maior representante deles, e o mais usado no mundo, é o lítio. Em tempo, devo observar que não tem a menor relevância medir o lítio no sangue das pessoas, pois ele sempre estará numa escala ínfima. Quando o paciente está para baixo, depressivo, usam-se os antidepressivos, sendo a fluoxetina o mais conhecido. Esses remédios não viciam, nem perdem o efeito, logo, podem ser usados por anos. Claro, sempre sob controle de um psiquiatra. Somente se indica psicoterapia depois de os sintomas clínicos estarem controlados pelas medicações.

O Brasil tem história de muitos políticos e governantes com sinais claros de doença bipolar. Alguns até não tiveram pruridos de dividir com a população que eram portadores dessa perturbação e que estavam se tratando. O pior é o outro grupo de políticos, que a distância nos parecem apresentar sintomas da doença bipolar, e continuam cuidando de nós, da população...

10.

Somos mais *fakes* do que imaginamos

>> Fake *é o que é falso, enganador. A expressão* fake news *entrou em nosso vocabulário como referência à notícia falsa, normalmente passada pela internet. Mas temos de saber que também somos frequentemente* fakes. *Em diferentes ocasiões, nós nos desempenhamos falsamente. Tomamos atitudes ou distorcemos fatos que não correspondem à verdade ou ao que aconteceu. Mesmo não querendo, nosso inconsciente é hábil em produzir falsidades.* <<

Chocaria você, leitor, se afirmasse que somos mais *fakes* do que imaginamos? Trago aqui um episódio tragicômico que se passou na partida final da Copa Libertadores da América, ano de 2021, entre Flamengo e Palmeiras. O jogador do Palmeiras chamado Deyverson, em certo momento do jogo, atira-se ao chão, rola, simulando ter sofrido um choque por trás, uma falta. Entretanto, talvez acostumado a simular em outros jogos, não percebera que quem havia tocado em suas costas, fazendo quase um afago, tinha sido o árbitro da partida, um argentino, meio levado e bem-humorado. Nós achamos graça de atitudes como essa, ou não damos a devida atenção, e é aí que mora o perigo. Os torcedores acham que tudo é válido para levar seu time à vitória. Aceita-se um gol feito matreiramente com a mão; um jogador encosta no peito de um adversário, e este se atira ao chão simulando que foi atingido no rosto. Isso é falcatrua pura, trapaça direta. Os jogadores de futebol se autorizam a tais atitudes, e o futebol é um espaço que autoriza muito a sacanagem, a enganação.

E estamos aí como espectadores e, sim, cúmplices, porque, numa situação como a promovida pelo jogador Deyverson, se o árbitro fosse um sujeito sério e rigoroso, atuando no espaço futebolístico em que não se admitissem subterfúgios, iria puni-lo na hora. Poderia ser expulso! Mas nada aconteceu, nem ninguém reclamou. Então, o futebol brasileiro e sul-americano, dentro de campo, virou esse negócio que a toda hora se enxerga, tornou-se um conluio silencioso e subentendido entre direções de clubes, atletas, árbitros, torcedores, comentaristas, ou seja, é isso que se apresenta: muitos momentos permitidos de enganação mútua. Diz-se que faz parte do futebol, e vamos em frente. Enfim, as coisas correm dentro dessa normalidade aceita por todos. Não estou aqui querendo mudar o rumo do futebol, mas confesso que cada vez me afasto mais por conta dessas atitudes que não me fazem bem.

Então, queria trazer para os leitores esta reflexão: nós, tantas vezes, falamos e nos posicionamos exigindo seriedade e verdade, reivindicando que as coisas sejam para valer. Mas no futebol parece que mudamos a nossa postura, e todos assumimos que tudo está bem.

Observem que esses jogadores fazem isso no Brasil, mas não procedem da mesma forma jogando no exterior, na Europa. Atentem, leitores, que interessante o comportamento do ser humano. É o mesmo sujeito, mas fora do Brasil, dadas as circunstâncias culturais e o peso da lei, contém esse seu lado transgressor. Então, é importante a cultura, o meio; e, no Brasil, o nosso meio é esse, nele vale tudo, pode sacanear. A nossa lei é branda e confeccionada para que as pessoas possam não ser punidas, claro, tendo um bom advogado, ou melhor, um capaz de driblar a lei.

Também observamos o quanto podemos ter um perfil *fake* na política. Quantas vezes temos amigos próximos, dignos, corretos, que buscam explicar e justificar que seu político querido, mesmo com muitas evidências de ter sido corrupto, não o é. Dizem que, de fato, é uma tentativa, da mídia ou dos adversários, de incriminá-lo. Às vezes, somos nós mesmos defendendo algumas atitudes de personagens que sempre criticamos no meio político. Estamos acostumados a viver com isso. Nós nos moldamos aos desmandos e aos descasos na vida pública brasileira, seja na educação, seja na saúde, seja na segurança pública. Note-se como vamos assimilando isso, como acabamos tocando nossas vidas nesse inferno da deseducação, da insalubridade, da insegurança, e vamos tentando dar conta do nosso cotidiano.

Na vida amorosa, é comum criarmos e nos confortarmos com as narrativas para absorvermos alguma experiência sofrida, de descaso ou até sinais de traição, para tentarmos manter uma relação a qualquer custo. Outro dia, visitava uns amigos, e lá estava um jovem em torno de quarenta anos que quis me contar sobre suas relações amorosas malsucedidas. Depois de ouvi-lo por uns minutos, achei oportuno dizer uma frase sem sentido, mas com muito sentido: "Não queres enxergar o que estás vendo!". Por trás dessa minha citação, tem um chamamento para que saia dessa postura de faz de conta ou *fake* diante de vivências muito reveladoras que oferecia a mim.

No trabalho, nós nos deparamos com um colega que age de uma forma inadequada, abusadora, tapeadora, querendo nos "puxar o tapete", e muitas vezes preferimos olhar como se nada pudéssemos fazer. O que seria isso senão, mais uma vez, alguém não verdadeiro com o que vê com clareza diante de seus olhos? Esse olhar passivo, com uma postura de que o tempo vai se encarregar de resolver, não indica uma atitude *fake*?

Dentro de casa, em nossas relações familiares, geralmente não somos verdadeiros, transparentes em relação a situações que ocorrem e preferimos fazer de conta que não vemos ou criamos uma narrativa falsa para parecermos verdadeiros.

Um amigo pediu minha opinião sobre um rapaz, amigo do filho dele, de 20 anos, que começou a ter crises de ansiedade, parecido com pânico. Logo de cara, na sua descrição, surgiu o fator que entendi como aquele que desencadeou as crises de ansiedade. Descobriu que o pai tinha uma amante e não sabia como lidar com esse fato. Não queria contar para a mãe, mas também não falava com o pai, ao contrário, afastou-se e começou a ter atritos com ele.

A família perguntava o que estava acontecendo, mas ele respondia que não sabia. Difícil situação! Conversei com meu amigo e achamos que deveria falar com o pai, claramente, e não engolir isso ou fazer de conta que tudo estava bem. Afastar-se do pai ou brigar significava uma postura "fake" e que o adoentava. Falar para a mãe não era seu papel de filho. A mãe gostava muito do pai e talvez não desejasse separar-se.

Enfim, trouxe para vocês o desenho de ângulos distintos de uma mesma situação. O futebol como reflexo do que concretamente ocorre em nossa sociedade permissiva, em que impropriedades comportamentais acontecem com a maior clareza, em qualquer âmbito social. Parece ser o contrato social à brasileira.

Indiscutivelmente, essas circunstâncias nas quais vivemos repercutem no nosso imaginário, e acabamos por ficar ansiosos, estressados, irritados, violentos, depressivos. E, quando digo que somos parcialmente *fakes*, sim, esse é o ser humano. É uma maneira de nos retirarmos, em parte, de nossas vidas, pois, diante da postura *fake*, é como se a vida fosse generosa conosco, passando a mão na nossa cabeça, da mesma forma que passamos a mão na cabeça de jogadores, políticos malandros, corruptos, enganadores, traidores e mesmo em nós mesmos etc. Não são só as mídias sociais que geram e espalham *fakes news*; as nossas mídias psíquicas inconscientes também são hábeis em nos apresentar soluções e posturas *fakes*.

11.

Como cada um constrói seu estresse?

>> *Estresse se tornou palavra do momento, da moda. Tem servido para explicar e justificar quase tudo. Estresse não significa adoecimento. Cada um constrói seu estresse sem perceber a armadilha em que está se metendo. Dando asas ao estresse, poderá desenvolver doenças mentais incapacitantes.* <<

O conceito de "*stress*" originou-se no vocabulário inglês. Nem sempre foi o mesmo ao longo dos tempos. No século 14, significava "pressão ou constrição de natureza física". Já no século 18 significava pressão sobre uma pessoa. No século 19, o conceito de estresse passou a ser descrito como "pressões que incidem sobre um órgão corporal ou sobre a mente humana". Hoje o estresse é visto como um conjunto de alterações físicas e químicas do organismo, desencadeadas pelo cérebro para tornar o indivíduo mais apto a enfrentar uma situação nova que exija adaptação. Estresse gira em torno de suportar pressão sem romper ou se abater.

A palavra estresse faz parte do cotidiano de muitas conversas, entrevistas e *podcasts* e é onipresente nas mídias. Talvez seja a palavra mais citada nas horas difíceis; quando não sabemos explicar bem o que está acontecendo com nossa "cuca", surge: "Estou estressado, por isso te tratei mal; não me sai bem no jogo, pois estava estressado; ando bebendo demais por estar estressado; não estou me saindo bem no trabalho porque estou estressado"! Pode servir para qualquer explicação.

Como podemos entender e explicar esse sentimento que nos abate e nos tira a energia vital, coloca medos e limitações e nos adoece? O estresse é algo que cada um vai desenvolver da sua maneira, internamente, no imaginário, em maior ou menor intensidade, diante de fatos duros que a vida nos oferece. Sim, sempre teremos fatores externos que enfrentamos no dia a dia.

Quer dizer, o estresse tem relação não apenas com o ambiente externo, com as coisas que acontecem fora de nós. Claro que há acontecimentos em nossas vidas que são importantes causadores de estresse, como uma perda de emprego, uma doença grave, a morte de alguém que seja próximo, o rompimento de uma relação, trabalhar num lugar ou com uma atividade que não se aprecia, uma dificuldade financeira. Discussões políticas, religiosas ou futebolísticas também, para muitos, transformam-se em sofrimento e mal-estar, ou seja, estresse.

Ocorreu-me uma analogia para caracterizar como o estresse é uma resposta individual. Imaginem, num temporal, um grupo de cinco pessoas correndo juntas para fugir da chuva, e destas, três se molham muito, e duas, pouco. Como assim, na mesma chuva? Assim se dá com a resposta de cada um de nós diante das situações difíceis da vida. Cada um constrói o estresse do jeito dele e ficará com mais sintomas ou menos.

O estresse pode virar nervosismo, ansiedade, aperto no peito, sudorese nas mãos, nas axilas, coração que dispara, falta de ar, pressão arterial que sobe, diarreia, boca seca, demasiada frequência na vontade de urinar, medos exagerados, sensação de desmaio e até temor de morrer.

Isso tudo depende de como lidamos com as nossas dificuldades e frustrações, isto é, de quanto toleramos a vida como ela se apresenta – tudo dependerá de cada um. Temos de considerar ainda fatores antecessores: como foi a nossa infância, como se deu nossa formação, se sofremos muito, se fomos maltratados – todos esses são elementos que ajudam a construir o estresse atual. Então, é importante que a pessoa também atente para tais aspectos e, de certa forma, responsabilize-se pelo estresse que constrói em si.

Fatores que geram estresse em alguns e não em outros: entrar num elevador ou avião, permanecer em lugares altos, atender alguém que se cortou, ficar sozinho em casa, deparar-se com uma lagartixa, barata ou aranha, realizar uma prova, ter receio de conversar com um rapaz ou uma moça, fazer uma consulta médica etc. Essas situações geradoras de estresse se explicam não pelo fato em si, mas sim pela representação que elas têm no imaginário, no inconsciente daquela pessoa que se estressou com o fato.

É imprescindível, por sua vez, não deixar de considerar como causador de estresse o ritmo da vida moderna, na medida em que somos continuamente requisitados por demandas no trabalho, em casa, na vida social. Esse estresse é algo típico dos dias de hoje. Imagine, leitor, como deve ter sido a vida de um homem (mulheres eram raras no mundo de trabalho de então), digamos, na década de 1950. Certamente que terá sido uma vida bem pacata, na qual lhe era possível almoçar em casa uma comidinha não industrializada e, depois de ler o jornal e de sestear por quinze minutos, voltar ao trabalho; no início da noite, inteirar-se das notícias do dia ouvindo no rádio o Repórter Esso, jantar uma sopa caseira com pão francês e, mais tarde, ir dormir. Uma rotina desse tipo não causaria estresse, ao contrário, poderíamos imaginá-la como entediante. Mas os tempos mudaram – "*O tempora, o mores!*", diz o ditado latino, que significa "Oh, tempos, oh, costumes!" –, as tecnologias se desenvolveram, chegamos ao estágio atual, e aí estão as tecnologias de informação (TI), que em si já bastariam para nos deixar em estado de agitação – o estresse. Não tem como não ser contaminado por algum nível de estresse. Somos, literalmente, soterrados por grande demanda de informações, mensagens, *likes*, aplicativos, trabalho *on-line*, compras *on-line*, namoros *on-line*. Deus nos acuda! Confesso a vocês que, em razão de tantas demandas, sempre estou "correndo atrás da máquina". Meu dia ficou curto, acho que andam surrupiando minutos do meu dia...

Então, na modernidade em que vivemos, todos estamos suscetíveis a condição de indivíduos estressados. Eu também tenho estresse, também sofro essas pressões externas. O que faço na tentativa de evitar o problema é procurar dar o devido tamanho para a situação supostamente estressante, tentar controlar o estrago que possa causar em mim, reconhecendo minhas limitações, sabendo que não posso controlar a vida que acontece e que nem sempre se desenvolve da forma que eu desejaria. Saber que a vida anda assim, como dizia Nelson Rodrigues: a vida é como ela é, não como gostaríamos que fosse.

Claro que, se as pessoas estão muito estressadas, precisarão se desestressar. Para que isso aconteça, há algumas possibilidades bem divulgadas nas mídias. Faça esporte, alimente-se bem, trabalhe em algo de que goste e que lhe renda um bom dinheiro, faça ioga, meditação, arvorismo, durma bem, divirta-se, assista a séries e filmes, passeie, namore, transe, não use drogas, não beba em excesso etc. Mas e quando tudo isso não resolve?

Busque um psiquiatra ou psicólogo e faça uma avaliação para que saiba se precisará de ajuda de um profissional da área da saúde. Ser for psicoterapia, poderá ser realizada por meio de um psicólogo ou psiquiatra. Se precisar de medicação, será um psiquiatra. Olhe como situações da vida causam estresse e sintomas diversos: outro dia, um amigo contou-me que sua sobrinha começou a ter crises de ansiedade, parecidas com pânico, o que assustou a família. Comecei a vasculhar possíveis razões e surgiu isto: a moça, com 16 anos, percebia-se homossexual. Não sabia como revelar aos pais, só tinha falado para o tio, com quem tinha mais intimidade. Mesmo a distância, intuí que ali estava a causa de seu estresse e sintomas ansiosos associados. Guardar esse segredo estava adoecendo a jovem. Sugeri que conversasse com a família, e seria oportuno levar o tio junto nesse encontro.

Percebam que o estresse é a porta de entrada para vários problemas psiquiátricos e limitações na condução da vida. Ele vai se metamorfoseando e pode levar à chamada síndrome do pânico. Não resolvida adequadamente essa síndrome, a próxima etapa será uma fobia, situação em que a pessoa começa a não querer mais frequentar os lugares, porque torna-se muito nervosa, muito ansiosa.

Então, leitor, fique atento a isso, não é uma coisa fácil, mas conhecer melhor esses mecanismos estressores e os reflexos nas pessoas é fundamental. O estresse, por si só, é inerente à vida, não tem como não conviver com ele e, em parte, não o absorver. O que devemos cuidar é para que esse estresse não impregne em nós e resulte em limitação ou adoecimento em nossas vidas. Sempre recomendo buscar amigos que tenham cabeça boa, para abrirmos nosso coração. Os melhores são aqueles com natural capacidade de ouvir, não os que tenham respostas prontas; melhor ainda são aqueles que não ficam com peninha de nós e que, além de ouvir, também sabem fazer perguntas.

O pior cenário para tentar dar conta do estresse é fazer uso de álcool, maconha ou outras drogas. Se precisar algum alívio, que se faça com alguma medicação. O leigo teme tomar medicação psiquiátrica com medo de ficar viciado ou dependente. Não é isso que vejo na minha atividade profissional. Outro dia, uma colega mais jovem falou-me de um paciente dependente do álcool que queria parar de beber, mas não conseguia. Sugeri que desse o velho Rivotril nas horas de maior ansiedade do paciente para beber. Ela me perguntou: "Mas não tem risco de ele ficar viciado em Rivotril?". Respondi que seria melhor ficar viciado em Rivotril do que no álcool. Claro, foi uma provocação que fiz, pois, na maneira e no tempo que iria usar, não ficaria viciado na medicação.

12.

É um bom negócio ter mais intimidade consigo mesmo!

>> *A recomendação de se conhecer a si mesmo vem da Antiguidade grega. O autoengano é um processo mental enrustido, atávico, está nas entranhas do inconsciente e nos acompanha desde sempre. Atualmente, muito em decorrência das mídias, temos nos distanciado de nós mesmos e nos focado no que passa fora de nós. Estamos perdendo essa ferramenta valiosa. A intimidade consigo mesmo é conhecer-se a si mesmo.* <<

Não se conhece o autor do famoso ditado "Conhece-te a ti mesmo e conhecerás os deuses e o universo!". Sabe-se, no entanto, que esse aforismo remonta aos tempos da Grécia antiga, a cerca de quatrocentos anos antes de Cristo, e que se encontrava escrito na entrada do templo do deus Apolo, na cidade de Delfos. Algumas teorias atribuem a frase ao sábio grego Tales de Mileto, outras, a Sócrates, filósofo grego que esteve presente no Templo de Apolo em Delfos. Ao ler esta frase "Conhece-te a ti mesmo", teria Sócrates respondido: "Só sei que nada sei"! Acrescento que precisamos também conhecer os deuses que habitam nosso imaginário, ou seja, nossas fantasias, conflitos ou neuroses, pois eles podem trazer sofrimentos emocionais para nossas vidas.

Normalmente, não damos atenção ao nosso próprio mundo psicológico, depois percebemos os estragos que essa desatenção causou em nosso dia a dia. Na verdade, não damos atenção porque nem percebemos a força do emocional no nosso viver. Então, o objetivo aqui será o de oferecer algumas observações para que os leitores possam estar mais familiarizados com a forma como as condições psicológicas do indivíduo afetam o seu cotidiano, atrapalham o viver, causam aflições e adoecimento emocional.

Trata-se realmente de uma prescrição e tanto: que o indivíduo se conheça a si próprio. Essa preocupação acompanha o ser humano desde sempre, mas somente conseguimos escavar os escombros do inconsciente com os trabalhos de Freud. Pela psicanálise, adentramos na psique humana e começamos a entender melhor e, por consequência, a sofrer menos. Ok, mas como vamos fazer isso na prática? Como a gente vai se conhecer, como vamos conhecer a nós mesmos? É bonito para ser dito, mas, no cotidiano, como fica?

É difícil, porque cada um de nós tem uma maneira de funcionar, de se relacionar, que está intimamente ligada ao que chamamos de personalidade. Não são suficientes os nossos conhecimentos intelectuais, nossa cultura, nossa riqueza, nossa formação acadêmica como fatores que nos impulsionem para nos conhecermos a nós mesmos. Tudo isso é importante, mas o que determina como acontecerão nossos vínculos e afetos, nossas intimidades? Em que lugares e medida seremos mais ou menos transparentes e verazes? Como aplicaremos na vida o que já foi vivenciado? Nunca terminará esse processo de autoconhecimento, pois nosso inconsciente é uma "caixa preta". Ele é mutável com rapidez, e podem surgir sentimentos desagradáveis e incompreensíveis sem que entendamos a origem deles.

Então, a regra de conhecer-se a si mesmo é enigmática, instável e inconstante a cada hora, a cada dia. Definitivamente, é um obstáculo quase intransponível, mas não desanime, siga com a leitura, que vamos colocar um pouco de luz nessas trevas da mente humana.

Por que Freud trocou seu trabalho em neurologia, especialidade médica que estuda o cérebro, e foi atrás da psiquiatria, pela qual se busca entender a mente, e criou a psicanálise? Por que existem as psicoterapias? Para que as pessoas tenham melhor percepção de quem são e de como funcionam. Por que é importante, nas terapias, olhar para os sonhos, para a infância, para os atos falhos, para os pensamentos sem pé nem cabeça que vêm à mente? Para juntar as peças desse quebra-cabeça e para que a pessoa venha a ter mais intimidade consigo mesma. Perceba, leitor, que não estou falando de doenças mentais, como transtorno bipolar ou esquizofrenia, que são aquelas em razão das quais os pacientes devem ser medicados.

Então, basicamente, o que estou pretendendo aqui é costurar alguns elementos esparsos de modo que você possa se conhecer melhor, o que não é algo simples. Já estou fazendo psiquiatria e psicoterapia há anos e posso dizer que, hoje em dia, gosto muito mais de quem eu sou. Em outras palavras, transito melhor comigo e no meio que me circunda, em decorrência da maior intimidade que tenho com os subterrâneos da minha mente.

Lembrei-me de dividir com vocês esta situação que vivenciei. Outro dia estava comemorando o Dia dos Pais com minha família, filhos, netos, genros e esposa. Tudo estava bem. Pedi para um garçom uma bebida, e ele perguntou se queria com gelo e limão. Assenti. Serviu, mas esqueceu o limão. Mostrei a ele que faltara o limão. "Já trago", respondeu. Passou um tempo e me esqueceu. Pensei que pudesse não ter limão no restaurante. Chamei-o e disse num tom firme, mas respeitoso. "Ofereceste-me limão, aceitei, esqueceste, te lembrei, novamente olvidaste. O que podes fazer por mim?" Um filho disse que fui grosseiro e estava irritado com o garçom. Não me percebi da maneira que ele me enxergou. Disse que não me sentia assim como ele me descreveu, mas que esse era meu jeito de reivindicar as coisas que achava justas. Resumindo. O episódio terminou ali, na medida em que não me senti desqualificado por ele e também não fiz render o assunto. Acho que naquele momento "me reconheci a mim mesmo", como recomenda o aforismo grego.

Sou requisitado por empresas para fazer palestras, *workshops* ou mesmo breves encontros objetivando ajudar seus dirigentes a desarmarem alguns entraves em suas relações. Percebo que alcancei um diferencial na minha vida, em decorrência da boa capacidade que desenvolvi de conhecer-me melhor e também conhecer a maneira de os outros se colocarem diante de suas vidas. Essas ferramentas divido com meus pacientes ou por meio de atividades em instituições.

Há filósofos que trazem muitos conteúdos interessantes que podem se relacionar ao tema do conhecer-se a si mesmo. Nietzsche, filósofo que viveu no século 19, foi um pensador em que Freud encontrou muitas reflexões que o ajudaram a criar a psicanálise. Spinoza é outro filósofo importante, que viveu no século 17 e que traz entre suas ideias elementos sobre o significado de conhecer-se a si mesmo. Também filósofos contemporâneos abordam esse tema.

Todavia, alguém da área da saúde mental, como um psiquiatra ou um psicólogo, tem ferramentas com as quais ajuda as pessoas a atingirem melhor conhecimento de si mesmas. Esses profissionais, além de estudarem as diversas teorias sobre o funcionamento da mente humana, têm e vivenciaram experiências clínicas que causaram adoecimento mental nos seus pacientes. Falo dos conflitos do dia a dia, que às vezes deixam a pessoa apática, irritada, abatida, triste. O "conhecer-se a si mesmo" é, sem dúvida, um mergulho nos porões da mente humana, recurso que deixa a pessoa mais apta para o enfrentamento do dia a dia. Para atingir esse objetivo de vida interior, uma psicoterapia trará significativa contribuição. Ela não traz os mesmos benefícios a todas as pessoas. Pacientes psicóticos, que perderam o juízo crítico, não são os que mais aproveitam as psicoterapias. Nesses casos, os tratamentos mais indicados se fazem com uso de medicações.

Mas há a área nebulosa e escura dos conflitos emocionais das pessoas. Não tem jeito, para driblarmos essas arapucas, precisamos de intimidade com o emocional, e é a isso que estou tentando instigá-los. Pensem no computador ou no *smartphone* ao serem ligados todos os dias. Eles sempre operam da mesma maneira. Assim é nossa psique, todo dia tende a ter seu padrão básico de interagir, claro, conectada às situações que vão perpassando nosso imaginário e a vida real.

Esse exercício de nos conhecermos implica várias coisas. Nem todos conseguem buscar um psicoterapeuta. Existem outros caminhos que seguramente adubarão nossa mente para nos levar a essa tal de intimidade com nós mesmos. Ler, assistir a filmes, escrever, ir ao teatro, tocar instrumentos, cantar, estudar música – ou seja, a cultura também abre um espaço para que possamos permear e adentrar nossas emoções, logo, é um caminho para o autoconhecimento. Bater papo com amigos que são mais sensíveis, que não têm respostas prontas, igualmente pode abrir espaço para que possamos nos entender.

Um exemplo que mostra como são fáceis os autoenganos: um amigo contou-me que seu filho de 22 anos estava sentindo-se mais seguro e confiante e, dessa forma, saindo com moças mais valorizadas por ele. Usava seu carro, um modelo mais popular, para esses encontros. Certo dia, pediu ao pai que lhe emprestasse o carro dele, uma camionete tipo SUV, mais vistosa. O pai questionou o porquê desse desejo e não emprestou. O filho não aceitou bem, pois queria impressionar as mulheres com o carro do pai. Parece que o filho queria a potência do pai para se dar bem com as mulheres. Não emprestar pode ter sido uma maneira de emprestar clareza ao filho de que a melhor potência não está no carro, na cama ou na aparência. Pode ser que o jovem tenha aproveitado esse confronto para conseguir mais contato com suas inseguranças e vir a diminuir suas distorções diante da vida. É uma tentativa de "conhecer a si mesmo"!

Temos de fazer reflexões permanentes. Note, leitor, que a nossa tendência, quando ficamos atrapalhados com nossas ansiedades, é a de colocar no outro a responsabilidade pelo que acontece. Sempre se acha alguém em quem pendurar "o nosso cabide neurótico" – pode ser a família, o pai, a mãe, o chefe, o colega, o governante, enfim, qualquer pessoa. Outra maneira é buscarmos explicações tolas ou sem consistência para tentar esconder as confusões que permeiam nossas mentes. Para conhecermos a nós mesmos, é importante essa busca contínua de entender a origem psíquica de nossas ações; mas, se isso não acontece, se não conseguimos fazer esse exercício, o sofrimento estará presente.

Podemos afirmar que muitas vezes o nosso pior inimigo somos nós mesmos. É nessas condições que a psicoterapia aparece como essencial. O processo da psicoterapia é muito subjetivo, e a resposta é diferente para cada terapeuta. Uma psicoterapia bem-sucedida trará, sim, grandes benefícios. Hoje, já contamos com a prática, agora institucionalizada, da psicoterapia na modalidade *on-line* ou a distância, o que por si só é um facilitador. Portanto, se julgar que alguém poderá ajudá-lo num processo de autoconhecimento, busque o apoio de um profissional.

13.

Você se considera resiliente?

>> Resiliência era usada para conferir capacidade de certos materiais de, depois de sofrerem deformação por uma força a eles aplicada, retornarem à situação original. Hoje, resiliente é aquele que, após sofrer todo tipo de pressões, não se abate, nem física nem emocionalmente, isto é, suporta as crises. Resiliente não é sinônimo de resistente. Característica pessoal modernamente levada em consideração hoje na seleção de pessoas para ocupar vaga de trabalho. <<

O termo resiliente originou-se nos estudos sobre resistência dos materiais e foi usado desde 1807 pelo inglês Thomas Young, um dos precursores da noção de resiliência de um material. Seria a energia de deformação máxima que ele é capaz de armazenar sem sofrer deformações permanentes ou romper-se.

Hoje, resiliente é a palavra da moda fora do campo da resistência dos materiais, e a cada momento a escutamos ou a proferimos. Às vezes, soa como uma expressão coringa ou uma palavra mágica que usamos para caracterizar um caminho para algo que nem sabemos bem em que consiste. Vejamos exemplos de uso dessa expressão: "Para te saíres bem no dia a dia, precisas ser resiliente"; "Para o jogador de futebol conseguir bons desempenhos em campo, terá de ser resiliente"; "Sem resiliência não terás sucesso"! Nota-se aí que o ser humano gosta de rechear suas narrativas com muitas frases e palavras de efeito que pouco ajudam. Imagine, leitor, você chegar ao meu consultório, nervoso, aborrecido, e, ao final da consulta, eu lhe dizer que seu problema é não ter resolvido o complexo de Édipo! Serviria para alguma coisa essa pomposa informação? Claro que não.

Resiliente vem do latim *resiliri*, que quer dizer "pular para trás". Ora, pode-se pensar por qual razão "pular para trás" tem a ver com essa resiliência de que hoje se fala tanto. Pois é, "pular atrás" no sentido de a pessoa, diante de uma situação difícil da vida, em vez de ir de frente, bater de frente, brigar, ela recuar, olhar, observar, dar um jeito e depois tomar uma decisão, seguir seu caminho. Na verdade, o resiliente é aquela pessoa que, diante de uma situação de estresse – de um trauma, de uma perda, de um conflito sério, até de uma morte, enfim, de situações difíceis no dia a dia –, busca a superação e retoma sua vida normal. Portanto, resiliente é aquele que mantém seu equilíbrio emocional e elabora suas questões, pensa sobre elas – e para chegar a isso não é preciso ser rico, inteligente, ter instrução superior ou MBA no exterior. Então, é uma pessoa que olha a situação com um pouco mais de distanciamento crítico, não se deixa afetar pelo calor de confusões, polêmicas, não explode, mesmo que o seu entorno esteja pegando fogo. Resiliente, em outras palavras, é a pessoa que *pensa* em relação ao que está ocorrendo em volta de si e o que está *sentindo*. Esta dupla importante: pensar e sentir! Lembrei uma analogia para o bom resiliente. Seria como cozinhar alguma coisa em fogo brando ou em "banho-maria". Difícil estragar esse alimento!

Ser resiliente é ter essa propriedade de sofrer tensões e sempre retornar à situação original. Isto é, a pessoa que recebe pressão, fica tensa, angustiada, pode perder o sono, mas não arrebenta, não explode, não se deprime e, depois do trauma ou do excesso, mantém uma postura adequada. Logo, resiliente não é levar "porrada" da vida e mostrar que aguenta. Ser resiliente não significa apenas passar pelas experiências sem vivê-las de fato. Um exemplo: ocorre uma situação séria, mas a pessoa não se abala. Isso não é resiliência, é resistência. A resistência é protetiva, e a pessoa resistente não se modifica positivamente com as experiências. O ser humano precisa sentir o evento para conseguir amadurecer com o que acontece.

Uma pessoa, por exemplo, pode pensar assim: "Enfrentarei aquela reunião, sei que será difícil, encontrarei gente complicada; então, preciso me cuidar, não vou reagir ou entrar em discussões". Ela poderia nominar diferente, algo como uma estratégia consciente, não uma ação resiliente. Certamente, tal tática poderá não funcionar muito bem, pois, num momento de emoção mais forte, a pessoa perde as estribeiras, e a "vaca vai para o brejo". Não trará bons resultados.

A resiliência verdadeira, genuína, seria a emocional, pela qual o resiliente usa a sua psique para contornar aquelas situações difíceis, não batendo de frente, contornando ou recuando, mas não perdendo de vista seus objetivos. Percebam que a resiliência está intrinsecamente amalgamada no inconsciente. O resiliente tem a habilidade de reconhecer a dor que enfrenta sem buscar se vitimar.

Aproveito para agregar à palavra resiliência uma outra expressão que cunhei durante uma entrevista que, há algum tempo, dei ao jornal *Zero Hora*, de Porto Alegre. Desenvolvi a ideia da resiliência *fake*, a falsa resiliência. O *resiliente fake* é aquele sujeito que se coloca no papel de bonzinho, do "concordino". Ele faz qualquer coisa, está sempre disponível, não se queixa, suporta críticas sem contra-argumentar. Parece resiliente, mas não o é. Esse *resiliente fake*, na verdade, deseja levar alguma vantagem futura, por isso vai se submetendo a pancadas, reprimendas, mas finge estar tudo bem, objetivando um proveito para si, que pode ser uma promoção ou até mesmo meros aplausos da chefia. No fundo, é um grande manipulador, espertalhão. Pessoas com tal compostura pagarão um preço por esse papel teatral, do faz de conta. Correm grande risco de desenvolver as chamadas doenças psicossomáticas, como doenças autoimunes, dermatites, dores crônicas, distúrbios de sono, dificuldades sexuais, gastrites etc. Isto é, a resiliência *fake* tem um alto custo.

Percebam que um líder, em uma empresa, precisa ser resiliente, ter competência para ajudar as pessoas a pensar, falar e agir com equilíbrio. Se seu time não conseguir se sair bem, ele entra em campo, acalma e orienta o grupo. Insisto que não se trata da liderança funcionar como um julgador, no sentido de apontar o que está certo ou errado, mas entender, observar, elaborar, acalmar e devolver. Devolver no sentido de se achegar, sentar, conversar e aceitar também aquelas pessoas que, às vezes, são muito atrapalhadas.

À medida que escrevi este texto, fui me dando conta de que sou uma pessoa resiliente. Passei por dificuldades sérias na vida; meu pai morreu de câncer aos 47 anos, quando eu tinha treze. Também eu, aos 47, tive um câncer. Passei por dissolução de casamento. Sempre lidei bem com as dificuldades da vida, mesmo quando bati à porta de algumas instituições, buscando ou oferecendo alguma coisa sem ser acolhido por elas. Não me senti desqualificado e desvalorizado. Então, acho que, para ser resiliente, é necessário bom grau de saúde mental.

Outro ponto importante para dividir com vocês relaciona-se com o fato de que resiliência não nasce no nosso DNA, não vem pronta. Ela é desenvolvida durante a vida, à medida que temos capacidade de avaliar o curso da vida e como nos colocamos diante de vivências difíceis. O resiliente não será um sujeito irritado, brigão, impulsivo, que usa álcool ou drogas para se acalmar, que deseja tirar proveito dos outros, que está de mal com o mundo e que só pensa nele, e cujo umbigo é o centro do mundo. Neste livro, busco fazer com que os leitores venham a ter mais intimidade com a vida pessoal e emocional, o que é determinante para se ter saúde mental.

14.

As sacanagens com os idosos

>> Melhor idade é uma expressão mentirosa, logo, indica abuso moral com o idoso. Muitos filhos, netos, genros, noras, vivem como predadores das finanças dos velhos. Nesse período, os idosos vivenciam muitas perdas, econômicas, físicas e mentais, e a morte se avizinha. A sociedade deixa o idoso marginalizado e, para compensar, criou esta máxima: "a melhor idade". Se chamada de "pior idade", seria um exagero? <<

Atualmente, a sociedade está atenta a uma série de abusos e os tem denunciado com veemência. Vamos abordar aqui um que, embora frequente, nem é provavelmente notado pelas pessoas, e nem sequer o abusado percebe que está sendo enganado: aquele cuja vítima é o velho. Um abuso que pode ser de natureza moral ou física. Até nomes já temos para esse abuso. O gerontologista Robert Butler, em 1969, chamou de "ageísmo", e também se usa "etarismo", como uma atitude de desconsideração com o velho.

É um problema social que se acentuou com o envelhecimento da população. O avanço das ciências da saúde e da tecnologia tem proporcionado ao ser humano uma vida cada vez mais longa. Se nos anos 1940 os brasileiros viviam, em média, cerca de 45 anos, hoje vivemos mais do que 75. Significa que se convive cada vez mais com um contingente de idosos, diga-se, pessoas que também continuam necessitando de atenção e carinho. À medida que se envelhece, surgem determinados problemas, como perda de agilidade física, que acarreta dificuldades de locomoção em diferentes graus, redução da acuidade visual, perda da sensibilidade auditiva, dificuldades econômicas e de acesso às redes de suporte à saúde, incompatibilidades com ambientes de tecnologias de informação e solidão. Esses problemas trazem muitas vezes transtornos para o relacionamento social com os velhos, gerando intolerância dos mais jovens e da própria sociedade com idosos.

Todavia, para fazer parecer que a velhice é uma etapa maravilhosa da vida, a sociedade e as autoridades criaram uma bela "pegadinha" ou uma conversa "para boi dormir": a mentira de que a terceira idade é "a melhor idade". Então, a intolerância e a discriminação começam por aí: por um palavreado que visa à enganação. Como estamos falando muito em *fake news*, daria para enquadra a tal da melhor idade nesse grupo! Quem criou e vendeu essa ideia foi um mestre do diversionismo. A esperteza da melhor idade serve para que os serviços públicos e os familiares larguem os velhos de mão, deixem-nos ao deus-dará, pois eles estão vivendo muito bem, aposentados e aproveitando a vida, logo, não precisam ser olhados por ninguém... Viva a melhor idade!

O idoso, dependendo de sua profissão, vai deixando de ser produtivo. Alguns se aposentam com idades entre 60 e 65 anos. O risco diante de algumas aposentadorias decorre de pessoas que trabalhavam com atividades que não lhes agradavam, exercendo funções que realizavam quase como subsistência para si e para a família. Almejam a chegada da jubilação como a redenção de uma vida sofrida. Chegando a tão esperada aposentadoria, abre-se um fosso na vida desses indivíduos. Continuam sentindo-se perdidos e nem sabem bem como preencher esse vácuo, o espaço livre que ganharam com o fim do trabalho. O vazio e o mal-estar seguem presentes. Descrevo essas possibilidades para demonstrar que se cria uma situação apropriada para que esse sujeito envelhecido, sentindo-se esvaziado, torne-se presa fácil para os abusadores.

O mercado olha o velho, do ponto de vista da produtividade, como descartável. Hoje, o mundo é dirigido para o jovem: a empregabilidade é do jovem, as novas ferramentas digitais não transitam bem nas vidas dos velhos, a riqueza é produzida por jovens, os objetos de consumo e o *marketing* têm como foco o jovem. Um novo padrão laboral nos invadiu: empregos passageiros, com cada vez menos vínculos com as empresas, em que a conexão com a instituição fica em segundo plano. Esses tópicos descritos acima também estimulam um natural processo de descarte em relação ao envelhecer. Muitas formas de maus-tratos ficam nas entrelinhas e não são percebidas.

Observem em que tipo de publicidade são usados modelos idosos. Claro que é na que divulga planos de saúde especiais, casas ou condomínios geriátricos, aparelhos para surdez, propagandas de alimentos, pacotes de viagens com guias etc. Então, como o foco da sociedade de consumo é a juventude, o velho fica como um refugo, para o qual restaram expressões como "melhor idade". Preste atenção, leitor, para o fato de, em documentários ou notícias na TV envolvendo os velhos, estes geralmente aparecerem gesticulando ou dançando, como se estivessem num jardim de infância. Existe, sim, uma tendência de infantilizá-los, que é uma forma de abuso!

Também temos de repensar com que idade se considera um indivíduo velho. Aos 60 anos, alguém não pode ser considerado velho! Tendo em vista o aumento da longevidade de que falei antes, parece-me um tanto precoce configurar a velhice nessa faixa dos 60. Alguns países consideram a velhice após os 70. Na Itália, será aos 75 anos. Parece ser mais adequado para estabelecer o início da terceira idade, porque, até essa faixa, as condições físicas e mentais ainda mantêm consistência. A partir daí, surgem mais limitações. Menos saúde física, mais perdas, mais mortes de pessoas próximas e amigos e menos dinheiro.

Em volta dessa pessoa idosa, filhos e netos às vezes precisam de algum tipo de suporte. Vários seguem precisando do dinheiro dos pais, outros casam-se e podem até permanecer residindo na casa dos genitores ou constroem uma casa no terreno dos pais. Fazem compras com cartões de créditos dos pais e muitas vezes não honram essas despesas. Há os que se separam e voltam para a casa paterna.

Quantas alternativas, e evidentemente muitas delas não foram escolhas dos idosos, mas necessidades impostas pela vida. Então, como pode ser melhor idade? É comum os mais velhos terem dificuldades para pagar as próprias contas. Outros não conseguem pagar planos de saúde e caem na vala comum do SUS. Evidentemente que não é a melhor idade. Quando se vai envelhecendo, prestem atenção, quem está lá na esquina nos olhando de soslaio? Esse fantasma que nos acompanha desde sempre – e na velhice começamos a enxergar e sentir o cheiro de sua presença. A morte, a finitude, o término. Essa é a maior ansiedade que acompanha o ser humano!

Percebam que atualmente tudo anda muito rápido. É quase surreal! Eu fazia alguns vídeos que duravam em torno de cinco minutos. Agora, o profissional que me orienta diz: "O vídeo deve durar um minuto, pois os seguidores perderão o interesse em vê-lo se tiver mais tempo". Convidam-me para palestras ou seminários e me sugerem vinte minutos para explanar o meu tema, que é subjetivo e de pouco conhecimento das pessoas. Será, então, uma rápida pincelada, parece que para marcar espaço, mas sem a menor possibilidade de se aprofundar no conteúdo. Sou um idoso atento e lido bem com essas limitações que a vida vai me empurrando. Consigo perceber essa dinâmica nova e surfo bem nestes novos tempos, mas também sei que a minha profissão me ajudou a entender e lidar com esse movimento de pouco contato que se apresenta atualmente.

Vale lembrar o filósofo polonês Zygmunt Bauman, falecido em 2017, que criou a ideia de modernidade líquida, ligada à fugacidade das relações atuais, amorosas, laborais, de amizade e até familiares.

Esse novo cenário provocou um mal-estar generalizado, gerando uma sensação de que nada mais é para valer, ou seja, sólido e que tudo muda e se dissolve rapidamente, como se líquido fosse, evapora. Imaginem o idoso dentro dessa modernidade líquida! Vira uma fonte de angústia e confusão mental.

Percebo, no cotidiano da vida das famílias, grande "negação" por parte dos filhos e netos a respeito do envelhecimento dos pais e avós. Como o leitor poderá perceber essa negação? Existe uma tendência no Brasil de os filhos ficarem muito mais tempo dependendo dos pais, dentro de casa. Claro que com a conivência e a cumplicidade de muitos pais. Olham para os pais e avós como se fossem jovens de 40 anos e que teriam toda a potência para cuidar deles, o que considero uma forma de negação da realidade. Muitos pais e avós passam cuidando dos netos não por opção, mas por obrigação ou quase imposição. Os filhos mais dependentes costumam ser grosseiros e agressivos com os genitores se estes não entregam tudo o que aqueles desejam. Demandam dinheiro dos pais, a casa dos pais. Alguns exigem que os pais abdiquem de alguns confortos seus para ofertarem aos filhos. Nos EUA, essa interdependência não existe; os filhos, no final da adolescência, estão fora da casa dos pais e, geralmente, mantendo-se com o próprio salário.

Evidente que há um conluio inconsciente que faz com que muitos pais se achem culpados pela situação em que os filhos se encontram, por isso assim passam o resto da vida tentando suprir as necessidades dos rebentos. Será uma tarefa inglória, inatingível.

Eles ficam no papel de eternos cuidadores, com a fantasia de que vão recuperar os filhos para uma vida mais plena. Triste e trágico!

Apresento mais um novo ingrediente desfavorável nesse contexto da desqualificação do idoso. Há pouco contato, pouco convívio, troca de palavras, afeto e atenção dos jovens em relação aos mais velhos. As pessoas mais jovens estão mais conectadas com o mundo virtual do que com os humanos que as cercam. Buscam se aconselhar no Google, no Instagram ou no YouTube. Parece que o Facebook está fora de moda, sendo abandonado por ser muito idoso... Novamente, percebe-se o velho deixado de lado, sem interlocução, o que eu chamaria de um abuso pelo abandono de pertencimento. Entre os mais jovens, os diálogos já não existem, entretanto, eles não sentem falta dessa forma de comunicação. Pensemos no abismo relacional em que o velho se encontra.

A doença mental é um fantasma que se torna realidade com frequência na vida dos idosos. Ela decorre das perdas de toda natureza, da presença de doenças físicas, da falta de dinheiro, de sistema de saúde deficitário, da insegurança pública e de filhos e netos muitas vezes com a vida muito comprometida. Depressão, transtornos de ansiedade e uso excessivo de álcool são as patologias mais frequentes. E a pior delas! A caduquice, a demência, ou seja, a doença de Alzheimer, para a qual infelizmente não há tratamento nem prevenção.

Não podemos deixar de tocar na situação do idoso com Alzheimer, que não reconhece os filhos, não cuida de sua higiene, pode ficar agressivo, perdeu a memória recente, apresenta-se desconfiado etc. Em condições em que perdeu a capacidade de cuidar de sua vida, deve-se considerar a possibilidade de internação em uma clínica geriátrica. A palavra asilo soa a depósito de velhos; não é a isso que me refiro. Assim, o surgimento do asilo significa dar à velhice um "lugar" — ou, nos termos de Marc Augé, um não lugar, ou, ainda, uma das heterotopias de Foucault. Assim, à velhice é afinal atribuído determinado lugar no mundo administrado, ao mesmo tempo em que ela perde o seu lugar no mundo da vida.

Finalizando: a sociedade claramente abusa dos idosos. E o pior é que não vejo sinais de mudanças no horizonte. Agora, querido idoso, o grande perigo que pode rondar sua vida é você mesmo se maltratar, manter-se marginalizado e ficar no papel de cuidador de seus descendentes!

15.

Como se pode ter mais saúde mental?

>> *Vivemos uma época de progresso científico, mas em que o indivíduo não desenvolve autoconhecimento. Não é possível mensurar a saúde mental de alguém, mas pode-se perceber se a pessoa é mentalmente saudável. Há fatores prejudiciais à saúde mental do indivíduo. Existem problemas mentais que são de origem genética ou bioquímica, e outros que têm origem em conflitos internos ou existenciais.* <<

Apresentarei aqui neste capítulo alguns aspectos a respeito de "ter saúde mental". Sinto-me autorizado a dar algumas dicas ao pessoal da área de RH, aos CEOs e aos líderes em geral, focando esse tema que está muito em voga.

Há pouco tempo, a Ambev foi pioneira ao criar uma Diretoria de Saúde Mental. O que está acontecendo com as instituições que abriram os olhos para a vida psicológica, para a vida emocional, para a saúde mental das pessoas? Evidentemente que a pandemia que se abateu sobre nós deu um empurrão nisso, porque destruiu os muros que davam certa proteção a nossa frágil saúde mental. Nossa saúde mental foi atingida, trazendo altos índices de adoecimento psiquiátrico nesse período.

Costumo dizer que as pessoas têm um superávit de conhecimentos e informações, mas um déficit em relação à vida psicológica e emocional. As instituições, quando contratam pessoas para suas equipes, preocupam-se bastante com o currículo do candidato, com os idiomas que ele sabe falar, os cursos de MBA que fez, mas não dão muita importância à saúde mental, até porque não existem instrumentos para avaliá-la. Claro, a empresa contratante confere se a pessoa a ser contratada não apresenta nenhuma doença mental que salte aos olhos, mas não vai muito além disso.

Também não podemos deixar de observar a importância da saúde mental dos parceiros num relacionamento ou num vínculo amoroso. Quando escolhemos, nos aproximamos, flertamos com um futuro parceiro, evidentemente que não somos muito aparelhados para perceber o quanto essa pessoa é saudável ou atrapalhada. Geralmente, somos atraídos pela estética, pela aparência, pelo corpo, pelo charme etc. Todos atributos externos. Não costumamos focar também na saúde emocional ou mental dessa pessoa por quem nos atraímos.

A saúde mental é formatada em partes. Aspectos genéticos são relevantes, mas o que pesa mais são as relações na infância com os pais, o quanto somos cuidados, amados, valorizados. Perceba, leitor, que a vida é lotérica, pois muitos passam por experiências catastróficas, com famílias desajustadas, suportam maus-tratos, abusos, abandonos etc. Seguramente, afetará a saúde mental passar por limitações e sofrimentos psíquicos, físicos e econômicos graves. Há o trabalho, que é uma experiência vital que precisa ser prazerosa, satisfatória, que a curtamos e que também ganhemos dinheiro com ele, para termos uma vida digna. Muitos elegem o dinheiro como a meta de vida, para preencher todas as necessidades, como o "nirvana" da existência. Uma vez que ganhem dinheiro, querem ganhar mais e mais e seguem essa trajetória na busca de enriquecimento. Aumentam os ganhos, mas sempre fica uma sensação de que falta algo que o próprio dinheiro não traz. Nessas situações, muitos endinheirados vivenciam uma sensação de vazio interior que a riqueza que têm não completa. Enfim, se falta saúde mental, não será o dinheiro que ocupará essa falta.

Eu me divirto trabalhando, no sentido de que, no final do dia, estou leve, preenchido, não carregando o peso do trabalho. Não preciso chegar a minha casa e tomar umas cervejas para relaxar. Em outras palavras, o trabalho alimenta a minha saúde mental, logo, no meu caso, trabalhar traz um ganho a minha vida emocional. Claro que essa experiência não vale para todos.

Vejamos os sofrimentos de origem psiquiátrica ou psicológica. Irei, genericamente, expô-los em duas categorias. Por um lado, há as chamadas doenças psiquiátricas que têm origem bioquímica, genética, em que há alterações de neurotransmissores, como serotonina, noradrenalina, dopamina. Costumam estar presentes em várias gerações familiares. Para algumas doenças, como depressão, transtorno bipolar, transtorno obsessivo-compulsivo, esquizofrenia, paranoias, há fortes evidências de que existe essa alteração bioquímica. Essas são doenças para as quais medicações contribuem para contorná-las, porque têm uma base bioquímica.

Mas, por outro lado, a segunda categoria fica identificada por meio de uma série de sofrimentos de origem emocional que estão soltos na vida das pessoas, existenciais, para os quais não é dada a devida atenção e que comprometem sobremaneira a saúde mental. São problemas psicológicos que ocasionam insônia, irritação, dificuldade de relacionamento ou mesmo somatizações, como gastrite, enxaqueca, doenças de pele, dores aqui ou ali, disfunções sexuais. Como citei anteriormente, o dinheiro para muitos é uma tentativa de driblar os sofrimentos da alma, para outros as penúrias psíquicas são enfrentadas com o uso de álcool, outras drogas ou tranquilizantes, os ditos tarjas pretas. É relevante destacar que os sofrimentos emocionais geralmente passam despercebidos no radar das pessoas, logo, elas nem conseguem buscar ajuda ou lidar com esses desconfortos. Então, essas pessoas não têm nenhuma doença psiquiátrica para a qual um remédio seja solução, mas elas também não têm saúde mental. Atentem que interessante essa dicotomia, essa separação. Não ter nenhuma doença mental específica não significa que temos saúde mental – diferentemente das doenças físicas, em que, se você não tem pressão alta, você é normotenso, ou seja, tem pressão normal.

O que é ter saúde mental? Evidentemente, não existe nenhum livrinho ou manual que diga o que é ter saúde mental; mas vou me autorizar a levantar algumas ideias para pensarem a respeito. Não temos nenhum indicador de saúde mental como "QI", quociente de inteligência, que pode ser medido e indica o quanto somos inteligentes. Logo, compõe a saúde mental uma série de elementos, ações, percepções subjetivas que indicam mais trânsito diante das armadilhas do dia a dia.

Ter saúde mental é a pessoa perceber o que se passa no seu mundo interior, na sua vida emocional; quando está desconfortada, ela dá uma olhada para dentro e consegue entender as coisas que a estão aborrecendo na vida, o que está lhe tirando o sono. Entender por que, naquele determinado momento, agiu de um jeito que acabou por causar desconforto, digamos, por ter sido agressiva ou prepotente com o outro. Elaborar esse tipo de reflexão, mesmo quando as coisas já passaram, percebendo e entendendo o que o outro fez para também a deixar alterada, apoquentada. Por que ficou desse jeito? Pessoas menos irritadiças com as limitações que a vida nos impõe apresentam bom indicador de saúde mental.

Também é essencial não colocar toda a responsabilidade nos outros pelas coisas que não saíram bem. Temos uma tendência de, quando as coisas não estão bem, buscar culpados, imputar a culpa pelo erro ou resultados que não esperávamos ao outro; evidentemente, isso sinaliza comprometimento da saúde mental.

Acho interessante quando alguém comenta comigo: "Ah, me sacanearam, me passaram a perna". Nessas ocasiões, sempre penso que nunca alguém me sacaneou sem a minha participação, sem que eu tivesse dado aval para que acontecesse. Então, ter saúde mental é autenticamente perceber também quando a gente escorrega, quando nos saímos mal numa situação do cotidiano. É, igualmente, saber ouvir com atenção alguém próximo que queira nos dar um *feedback* sobre algo do nosso jeito de ser; ter saúde mental é poder dar essa atenção, é poder ouvir alguém que tem alguma coisa a dizer com a qual não concordamos sem desqualificar ou esculhambar com os argumentos dele; saber ouvir o outro falar sem atropelar – às vezes, temos essa mania, a pessoa está falando e nós atropelamos a conversa, nem a deixamos concluir; saúde mental é percebermos que agimos de maneira inadequada com alguém próximo, e também buscar essa pessoa e dizer a ela, em algum momento, um dia ou uma semana depois, que reconhecemos que agimos de forma imprópria; outro indicador de boa saúde mental é perceber que as pessoas que convivem conosco não nos temem em decorrência da nossa posição funcional; igualmente, é estimular nossos colaboradores para que falem tudo o que pensam sobre procedimentos e relações no trabalho sem medo de retaliações; tolerar que a(o) companheira(o) não esteja disposta(o) a transar naquele dia, sem que fiquemos irados ou nos sintamos abandonados; saber dizer não para alguém com quem tenhamos proximidade, mesmo que o outro se chateie com essa resposta. Então, quem tem essas capacidades tem mais saúde mental.

Portanto, a saúde mental tem relação direta com a capacidade de refletir, pensar, avaliar, reconsiderar, querer mudar e aceitar quando se sai mal, tolerar as limitações – nossas e dos outros. Supomos que os psicoterapeutas devam ter boa saúde mental. Logo, espera-se que um bom psicoterapeuta, no seu consultório, atendendo seus pacientes, ou durante uma atividade coletiva, como num *workshop*, possa botar luz nos porões da psique desses que o escutam. Dessa forma, elas poderão ter um pouco mais de intimidade com quem são, com seu imaginário ou inconsciente.

Concluindo, a saúde mental é posta à prova todo dia e sempre precisa ser monitorada para que não nos deixe em situações de padecimento. É isso que também proponho aqui: que cada um venha a pensar com menos autoenganos possíveis diante das armadilhas emocionais do dia a dia.

16.

Cuide-se para sua mente não virar uma lixeira!

>> *O nosso emocional não deve ser depósito de problemas reais ou psicológicos dos outros. Há pessoas que tentam buscar culpados e depositar neles suas ansiedades, irritações, abatimentos, expectativas e desconfianças. O problema se dá quando alguns oferecem suas mentes como se fosse um contêiner para receber esse lixo neurótico.* <<

Diminua o tamanho da sua lixeira! Mas não da lixeira em que você coloca o lixo que restou em casa. Falo aqui no sentido simbólico; quero dizer que, muitas vezes, funcionamos de receptadores das encucações e dos desconfortos dos outros, na medida em que estejam chateados, aborrecidos, irritados. Esse é um mecanismo muito presente nas relações humanas, ou seja, faz parte da vida. Então, quando digo "diminua o tamanho ou feche sua lixeira", pretendo orientá-lo, leitor, no sentido de não permitir que outros venham a lhe depositar problemas que não lhe digam respeito.

Assim, é preciso fazer um exercício para visualizar essa sutileza perversa. É algo que acontece corriqueiramente e que costuma passar despercebido, mas cujos resultados negativos irão permanecer no emocional. Digamos que a vida de um sujeito não vai bem, ele anda sofrido, abatido, irritado e, em razão disso, acaba inconscientemente por procurar culpados para esse mal-estar.

Evidentemente, não faltarão parceiros, *players*, nos quais depositar os sofrimentos que transbordam na psique. A pessoa poderia eleger como responsáveis os políticos. Bem, nesse caso, as chances de ela ter sustentação para suas queixas aumentam. Brincadeiras à parte, poderíamos supor que essa pessoa vá depositar suas mágoas na mãe, no pai, no chefe, no cônjuge. Imagine alguém que acompanhe essa queixosa no dia a dia! Ficará soterrado pelas amarguras e os ressentimentos, mesmo que ela mantenha algum vínculo com a realidade. A pessoa tenta se ver livre, aliviar-se de suas ansiedades ou apatias, colocando-as em outro. Não é bom para quem debita, e pior para aquele que aceita, pois é um mecanismo que se repetirá.

Assim, por exemplo, se num relacionamento o sexo não acontece satisfatoriamente para um dos parceiros, pode ser que ele diga: “Ah, não vai bem porque tu não estás te puxando, não estás te entregando, por isso eu tenho ejaculação precoce”. Com absoluta certeza, a ejaculação rápida não costuma ter relação com a(o) parceira(o). Geralmente, independe do outro. Esses homens costumam ser ejaculadores precoces independentemente de quem os acompanhe. Percebam como a relação entre duas pessoas pode ficar empobrecida. O ejaculador precoce perde a oportunidade de buscar intimidade e aproximação com essa sua companhia amorosa e sexual. Tenta debitar fora dele, no outro, suas dificuldades, busca magicamente se livrar do que lhe é próprio. Assim é o ser humano, com seus trejeitos, fantasias, sempre projetando no outro, na lixeira alheia, muitos de seus enigmas. É importante salientar que esses movimentos de buscar um culpado são, geralmente, inconscientes.

Assim também ocorre no ambiente de trabalho com colegas, líderes ou gestores. Algum resultado não foi alcançado, uma orientação não foi transmitida com clareza para a equipe. Pronto, ambiente perfeito para caça às bruxas. Quem será imolado, culpado, crucificado? Temos de treinar a percepção sobre esses mecanismos de alguém ficar de depositário dos malfeitos alheios. Se tentarmos carregar em nossas costas a sobrecarga, adoeceremos emocionalmente. Um bom exercício é poder dizer ao outro: "Olha, isso aqui não é um problema meu, é uma dificuldade tua". Não devemos nos abater, precisamos deixar de carregar conosco o que não nos pertence. E, claro, sempre devemos ser delicados e cuidadosos com o uso das palavras. Se puder, não chore num embate, pois essa atitude costuma ser vista pelo outro como sinal de tibieza, fraqueza. Ou, se não consegue impedir que corram as lágrimas, diga ao opositor: "Choro para não te agredir!".

Como ilustração, contarei algo de natureza pessoal. Certa vez, fiz uma brincadeira com uma irmã. Ela estava em viagem, e era dia do seu aniversário. Liguei para a cumprimentá-la no fim da tarde. Talvez todos os irmãos já tivessem feito contato com a aniversariante. Como pensei que deveria ser o retardatário, fui logo fazendo uma brincadeira: "Pô, até que enfim consegui falar contigo!". Isto é, insinuei que já havia ligado outras vezes e ela não atendera. Respondeu dizendo: "Mas como é que tu me ligaste outras vezes, se eu não ouvi e não ficou nada registrado?". Imediatamente esclareci que estava apenas caçoando, que não telefonara antes, tratava-se de brincadeira. Claro, brinquei até para tentar aliviar minha chateação de só ter lembrado de ligar no fim da tarde. Foi um descuido e uma desatenção.

Note, leitor, que fiz uma gozação, mas poderia maldosamente ter dito: "Bah, tentei te ligar, não atendeste, cai sempre na caixa postal". Seria o jeito desonesto, malandro e safado de tentar botar nela a responsabilidade pelo meu descuido. Enfim, com esse exemplo, sinalizo que ela não pode ser a lixeira das minhas dificuldades. Se realmente tivesse esquecido de felicitá-la pelo aniversário, com certeza eu seria verdadeiro, diria que me havia olvidado.

Digo, de passagem, que minha mãe ligava para cumprimentar os filhos nas datas de seus aniversários quando ela acordava, às seis e meia da manhã. Sempre eu estava ainda dormindo. Mas era a mãe, e acontecia uma vez ao ano!

Lembrei-me de uma paciente que iniciou tratamento comigo e vinha de um tratamento com outro colega. Disse que não conseguia dormir e na madrugada ligava para a ex-psiquiatra. Perguntei qual era o sentido de ligar na madrugada? Para dizer que não conseguia dormir. Eu prontamente disse que não queria que isso acontecesse comigo, pois nada diria de madrugada a ela que já não houvesse dito antes. Em suma, achei que essa postura dela tinha um perfil de colocar em mim suas ansiedades sem que eu pudesse ajudá-la. Seria colocar lixo na minha mente, lixeira!!! Seguimos bem, e ela não precisou chamar-me de madrugada.

Outro exemplo frequente e de difícil encaminhamento se relaciona com os pedidos de fiança. Parentes, amigos, colegas ou funcionários nos pedem para que sejamos fiadores de um aluguel ou mesmo de um empréstimo. É um pedido muito delicado e de alto risco, na medida em que não há garantia de que essa pessoa poderá honrar esse compromisso. O que dizer numa situação dessas, em que há temor de que o outro fique chateado com a nossa recusa? Se não queremos ser fiadores, mas acatamos o pedido para não desagradar o outro, estaremos colocando em nossa mente uma preocupação, uma ansiedade futura. Novamente, uma atitude de quem fica de depositário do problema do outro, papel de lixeira. Não tivemos a coragem, a clareza, a franqueza de dizer que não seríamos avalistas. Aceitando algo que nos fará mal, iremos carregar um sobrepeso, um desconforto psicológico desnecessário. Mas e se essa pessoa ficar desgostosa ou brava conosco diante de uma negativa e quiser colocar em nós seus aborrecimentos? Bem, agora já não será um problema nosso, mas dela. Em tempo, hoje existe seguro-fiança para essas situações.

Então, leitor, atenção com isso. Impedir situações em que querem nos fazer de depositário de problemas que não são nossos faz com que a nossa vida fique mais leve, mais agradável, e teremos mais felicidade no dia a dia. É um exercício que vale a pena ser feito na vida, observar os nossos passos, pensamentos e emoções e fazer essa troca com os outros. Minha intenção aqui é instigá-los a pensar.

17.

Você consegue identificar um mau psicoterapeuta?

>> *A subjetividade é inerente às práticas psicoterápicas ou psicanalíticas. Em psicoterapia, não existe nada pronto. É importante também se pensar no desempenho do profissional. O psicoterapeuta também poderá ser determinante na não evolução do tratamento, sem que o paciente perceba isso. É desse tema espinhoso e pouco ventilado que vou tratar. Nos espaços acadêmicos, não se discute o mau desempenho do psicoterapeuta.* <<

Talvez o leitor não saiba que a prática da psicoterapia ou da psicanálise, realizada por psiquiatras e psicólogos, é uma atividade que traz em seu bojo abstração, percepção, pura subjetividade. Não existe nenhum exame de sangue, de imagens, de DNA ou do cérebro que possa indicar onde se aloja o sofrimento psíquico ou psiquiátrico.

Não conseguimos descobrir, por exames, as neuroses, as fobias, a depressão, a síndrome do pânico, o transtorno bipolar etc. As ferramentas de que dispomos são a escuta, a observação, a percepção e o entendimento. Gostar de atender pessoas, saber ouvir atentamente e ter experiência fará a diferença nessa relação singular, pois cada paciente tem seus conflitos emocionais específicos e uma maneira ímpar de mostrar como sofre. Também a personalidade do psicoterapeuta vai interagir com a do paciente e poderá trazer benefícios ou atrapalhar o tratamento. Logo, os psicoterapeutas precisam garimpar os subterrâneos do inconsciente de cada paciente. Como dizia Freud, é como retirar delicadamente cada camada dos achados arqueológicos da alma humana.

Então, os psicoterapeutas ou psicanalistas precisam contar com sensibilidade, atenção, percepção, *feeling*. Mas vou fazer uma revelação que talvez possa deixar o leitor reflexivo e até impactado. Não me lembro de ter encontrado nenhum relato ou discussão acadêmica na literatura psiquiátrica ou da psicologia sobre o desempenho dos profissionais na atividade psicoterápica. Quando uma terapia não evolui bem ou o paciente não percebeu melhoras, existe a clara tendência de se colocar nas costas do paciente a responsabilidade pela evolução desfavorável. Com frequência, escuto de alguns terapeutas que, quanto a psicoterapia não evolui bem, é porque o paciente é um *borderline* ou narcisista. Sim, são transtornos de personalidade mais complicados para serem tratados em psicoterapia – como se assim nos eximíssemos de nossas responsabilidades.

Por sua vez, é necessário pontuar que não é fácil para o profissional da área tentar observar seu desempenho, pois também nós temos muitos pontos cegos. É recomendável que o terapeuta não tome uma pessoa em tratamento se não tiver empatia ou perceber que o caso é complicado para ele. Sempre é recomendado que os psicoterapeutas também busquem ajuda com outros profissionais da área, para fazerem também suas psicanálises ou psicoterapias.

Não há outra especialidade médica em que o paciente fique mais exposto ao sucesso ou não de um tratamento. Em outras áreas da medicina, existem exames para complementar o diagnóstico e, além do mais, ainda existe a possibilidade de se pedir uma segunda opinião para outro colega, solicitar mais exames etc. Dessa forma, o paciente terá uma possibilidade de avaliar se o profissional que o atende está no caminho certo.

Poderíamos afirmar que se trata de uma relação desigual. Também podemos focar nosso olhar no padrão em geral das relações médico-paciente em outras especialidades médicas. Parece que o vínculo entre o profissional e o paciente é hierarquizado, ou seja, o doutor é um semideus, olha o paciente de cima para baixo. Nas psicoterapias, costuma ser esse o padrão nos atendimentos.

Tem um ditado que diz o seguinte: "Juntou a fome com a vontade de comer"! Podemos aplicar o ditado nesses tratamentos, pois é comum o paciente colocar o seu terapeuta num patamar mais elevado. Quando a abordagem psiquiátrica se faz por meio de uso de medicações, obviamente, é mais fácil para o paciente perceber se está sendo ajudado com o tratamento.

Os psiquiatras e os psicólogos atuam isolados em seus consultórios, o que torna o trabalho muito solitário. Não é de praxe esses profissionais pedirem ajuda de outro colega, em busca de uma segunda opinião. Todavia, alguns colegas mais atentos e responsáveis podem procurar supervisão de terapeutas mais experientes.

A tendência de uma pessoa que faz psicoterapia por um período prolongado e não se sente melhor é de achar que ela é complicada e seu caso é difícil e de mau prognóstico. É claro que não passa pela cabeça do paciente que, eventualmente, o problema não seja ele, mas a condução oferecida pelo psicoterapeuta.

É como num namoro ou num casamento. A pessoa pode não ir bem com uma relação amorosa, mas, depois, ter uma ligação plena e satisfatória com outra pessoa. Acho que numa terapia e num namoro existem caminhos semelhantes do ponto de vista vincular.

Então, estou aqui apresentando o assunto da avaliação das terapias do ponto de vista do desempenho do terapeuta, questão muito delicada e, por isso, não ventilada nos meios acadêmicos. Estou trazendo o tema para que possamos pensar conjuntamente. Desejo neste texto colocar luz nesse tópico.

O psicoterapeuta não tem nada pronto, ou seja, quem nos entrega o material bruto para trabalhar, quem nos fornece o combustível para andar, é o paciente. Ele fala, nós escutamos, vamos tentando encaixar as peças desse quebra-cabeça que estão perdidas. No decorrer dos encontros, esperamos que o paciente consiga entender algumas coisas do seu sofrimento e, assim, deixar sua vida mais satisfatória, mais palatável, interessante e plena. Fazer terapia não é uma aula de filosofia, ou saber vaticinar algo como "Ah, tu és assim por causa da tua mãe, por causa do teu pai, do complexo de Édipo não resolvido"; também não é essa espécie de teorização, muito menos o terapeuta dar conselhos para o paciente.

Não parecem ser boa condução de uma psicoterapia aquelas situações em que o paciente não toma nenhuma decisão sem falar com o terapeuta. Existe grande perigo quando alguns profissionais comandam a vida dos pacientes e, de certa forma, infantilizam-nos e os deixam completamente dependentes da terapia. Podem se tornar terapias intermináveis.

Por mais que eu perceba o que está acontecendo na vida de um paciente – como está se encaminhando no dia a dia, no trabalho, na vida com os amigos, familiares –, tenho o hábito de auscultá-lo objetivamente para saber o que está achando dos encontros comigo, se o processo psicoterápico está ajudando a tornar sua vida mais agradável, interessante e menos sofrida. Só para relembrar, os pacientes apresentam dificuldades, pruridos, em revelar seus contragostos e insatisfações com o terapeuta no curso do tratamento. Existe um constrangimento de manifestarem quando não estão de acordo ou não se agradam com a maneira do terapeuta de encaminhar o que pensa. Os pacientes, geralmente, abandonam o tratamento, levando consigo essas insatisfações.

Perceba, leitor, como a atuação de psicoterapeuta é complexa, trabalhosa e difícil. É fundamental, para ser um bom psicoterapeuta, gostar de estar com gente sofrida e aproveitar esses diálogos, por mais pesados que possam ser. Esses encontros também ajudam no crescimento do terapeuta como gente, desde que ele se coloque junto ao paciente, ao seu lado, não como um ser superior. Claro que cada dia podemos estar mais ou menos conectados ao paciente, pois também existem os problemas emocionais dos terapeutas. Quanto mais tempo estamos nesse meio, transitando, ouvindo, conversando, trocando ideias, vendo pacientes, melhor tendemos a ficar.

Nessa perspectiva do aprimoramento e do treinamento no processo psicoterápico, que nunca cessa, mantemos na nossa clínica, a Psicobreve, o costume de semanalmente fazer um encontro com os colegas para conversarmos sobre práticas psicoterápicas. Nessa atividade, por exemplo, um dos profissionais relata ao grupo de terapeutas um caso que está atendendo e para o qual percebe que está precisando de ajuda, logicamente, sem identificar o paciente. Assim, vamos trocando ideias, oferecendo reflexões para que o grupo possa aprimorar a capacidade de entender e ajudar os pacientes. Enfatizo que se, hipoteticamente, um paciente buscar, ao mesmo tempo, cinco psicoterapeutas e a eles contar suas mazelas, talvez obtenha cinco entendimentos e abordagens distintas. Logo, qualquer pessoa encontrará um método de trabalho distinto em cada terapeuta que venha a procurar. Já interrompi acompanhamentos de pacientes que eu percebia não ajudar ou de pacientes que não tinham desejo claro de fazer terapia. Também fui abandonado várias vezes pelos pacientes, e quase todos se foram sem revelar o seu contragosto em relação à terapia. Vida que segue!

Finalizando, se você faz psicoterapia e não se percebe evoluindo, num primeiro momento diga ao seu terapeuta de seu descontentamento com a terapia. Se, ainda assim, não ocorrer melhora, pense na possibilidade de buscar outro profissional. Não esqueça, leitor, pode ser que seu terapeuta não venha a se sair bem no seu tratamento.

18.

Escravidão psicológica

>> *Escravidão soa a cárcere, prisão, restrição de liberdade. Aqui, introduzo aos leitores um outro tipo de escravidão. A "escravidão psicológica", que causa profundos estragos na vida das pessoas e sob a qual, geralmente, os escravizados não percebem esse aprisionamento. O desejo de controle é a chave desse calabouço no qual se dá essa escravidão.* <<

Nos tempos modernos, a palavra escravidão causa calafrios e mal-estar. Ainda falamos em trabalho escravo. Bem, quero aqui apresentar a vocês outra forma de escravidão presente no dia a dia, pouco falada, uma vez que não é percebida por quem escraviza e por quem se deixa escravizar. A *escravidão psicológica*!

Como é que que podemos perceber essa tal escravidão psicológica? Por meio do desejo de controle daquele que escraviza. O desejo de controle é algo universal e está presente na vida de todos nós o tempo inteiro. As criancinhas são muito competentes em querer mandar no pai e na mãe e no ambiente que as cerca. Sempre estão prontas para dormir na cama dos pais. Revoltam-se e se enfurecem quando não são atendidas em suas vontades. O imaginário infantil é ditatorial, pensam que podem mandar no mundo. Esse funcionamento aparece em toda a infância e faz parte do desenvolvimento e da vida da criança. A educação, a cultura, os pais e a sociedade vão tentar se encarregar de baixar a bola desses pequenos tiranos.

Mas crianças crescem, tornam-se adolescentes e adultos, e muitos continuarão com essa postura de comando ou escravizadora. Como é que vocês vão perceber a presença desses ditadores? São aquelas pessoas que sempre têm razão nas conversas, têm a última palavra, são muito competentes nas narrativas, fazem de conta que escutam os interlocutores, são muito hábeis com as palavras, oferecem até vantagens para que terceiros sigam seus objetivos. Uma outra *expertise* que percebemos nesses tiranos é a alta capacidade de desqualificar quem discorda de seus pontos de vista.

Como pano de fundo, como disfarce, como sedução, existe, na postura deles, uma aparentemente atitude protetiva. Mostram desejar cuidar e proteger os outros, como se intuíssem o que seria melhor para os que os cercam. Isso aparece no ambiente de trabalho, na família, com amigos e nas relações amorosas. Percebe-se que são pragmáticos, sagazes e ardilosos. São pouco afetivos e amorosos e não conseguem ter intimidade e empatia com outros. A maneira como conseguem relacionar-se está embasada na racionalidade, na busca de vantagens e nesse pseudocuidado.

Preste atenção, leitor, para uma outra característica desses sujeitos que chamamos na psiquiatria de "taquilalia". Eles têm tendência a falar sem parar, cansam o interlocutor, aprisionam a palavra do outro, pois não estão dispostos a ouvir e talvez nem consigam escutar.

Essas figuras vasculham o celular a todo momento para saber se o outro leu a mensagem. Enlouquecem quando alguns de seus contatos desarticula o mecanismo que indica a visualização da mensagem. Por trás dessa exigência de pronta resposta, está estampada a tentativa de escravidão emocional, de que o outro tem de estar disponível para esse tirano disfarçado de "seguidor" nas redes. São muito sutis esses mecanismos de controle, e também se percebe sua presença em outra situação no uso das mídias sociais. Você marcou um encontro com esse abusador, e ele lhe envia uma mensagem suspendendo e remarcando para outro dia, sem a sua anuência, mesmo que o interesse do encontro não seja seu. Não deixa de ser uma tentativa de controle e, logicamente, descaso com a vida alheia.

Esse aspecto da escravidão também pode aparecer na relação amorosa, em que o dominador tenta colocar o outro submisso aos seus desejos. Ele tende a submeter o parceiro a uma relação sexual mesmo que o companheiro não esteja disposto a transar. Caso o cônjuge rejeite a abordagem sexual, pode gerar muita irritabilidade e, ato contínuo, ameaças de buscar parceiros fora da relação. Seguindo essa plêiade de exemplos, vamos a mais um. Querer escolher as roupas que o(a) companheiro(a) deve usar. Qual maquiagem é a mais adequada. A que horas deve estar em casa. Se pode ou não jogar futebol com os amigos ou sair para tomar um café com as amigas. Percebam que esse funcionamento que descrevo pode evoluir para ameaças verbais e até riscos de agressão se o outro não aceitar tal mecanismo de domínio.

Essa toada pode evoluir até existir um encontro entre duas "almas imantadas". No sentido de duas pessoas se atraírem como se fossem ímãs, ou seja, encontrar na sua caminhada alguém que espera inconscientemente um cuidador, na verdade, um ditador, para tomar conta de sua vida. Então, elas olham para um sujeito desses e acham: "Opa... encontrei uma pessoa legal – pode ser esposo(a), chefe, colega de trabalho, amigo ou namorado(a) –, ele vai cuidar de mim, então vou entregar a minha vida e as minhas decisões na mão dessa pessoa abençoada". Aqui mora o perigo! Desenvolve-se um conluio, uma cumplicidade doentia. O sujeito pensa ter encontrado o paraíso perdido e acha que esse anjo vai cuidar da vida dele, como se voltasse para a infância e recuperasse possíveis sentimentos e cuidados que não teria recebido nesse período da vida.

Está criado o ambiente propício para se desenvolver a famigerada escravidão psicológica, camuflada nos possíveis cuidados. Esse ditador, disfarçado de cuidador, passa a opinar sobre tudo, controlar horários, vestimenta, gastos, companhias, indicar como deve proceder no trabalho, colocar a pessoa para fazer tarefas para ele, usar o amigo como um mandalete etc. Qual é o risco de uma relação assim? Como o controlador não se sente pleno, satisfeito e seguro com a submissão do outro, seguirá nessa toada. Aumenta o cerceamento e submete mais o outro. Se for no trabalho, sempre a tarefa não está benfeita, e podem surgir ameaças. Com um amigo, surgem cobranças de que esse não está disponível sempre que é solicitado. Na vida amorosa, o risco é maior, pois tenderá a haver desconfianças e exigências de entrega descabidas. Nesses casos, brigas e até agressões físicas estarão presentes.

Quem se submete a um abusador psíquico geralmente nem percebe a armadilha em que entrou, pois é o imaginário que comanda essa entrega total. Nessas condições, é difícil romper com esse vínculo doentio. O alto custo dessa submissão aparece por meio do adoecimento mental; brotam depressão, irritabilidade, falta de energia, somatização, insônia ou se desenvolvem quadros graves de ansiedade. Poderá soar, na mente do escravizado psiquicamente, a ideia de que ele não é suficientemente bom e não consegue agradar seu dominador, logo, adoecer mentalmente seria um justo castigo. Como não consegue entender a arapuca em que se meteu, oferece-se cada vez mais, consequentemente vai piorando seu estado mental. Perceba, leitor, a gravidade do que pode se desenvolver.

Bem, esse é o meu papel como psicoterapeuta, trazer reflexões que não costumam permear os *insights* ou percepções do cotidiano dos leigos dessa temática. Evidentemente, essa conduta descrita é decorrente de conflitos inconscientes, ou seja, as pessoas não se percebem cúmplices desse processo mental patológico. Situações descritas aqui são estudadas desde muito tempo por psiquiatras e psicanalistas. Na França, essa loucura da dupla controlador-controlado é chamada de *folie à deux* ou loucura a dois.

19.

Falando, você ajudará alguém com ideias suicidas

>> O suicida pode ser alguém que não fala no assunto, mas pode mostrar alguma mudança comportamental, como isolamento e depressão. Há uma "falsa crença" de que falar sobre o suicídio poderá estimular a pessoa a se matar. Ao contrário, devemos falar com alguém que suspeitamos querer se matar, é benéfico. Se você falar com essa pessoa, mostrará que o assunto não é assustador. <<

Caso você tenha alguém com quem se importe, com quem mantenha proximidade ou alimente algum afeto, um amigo, um familiar ou colega, e perceba que essa pessoa anda abatida, triste, isolada, e se passar pela sua cabeça que essa criatura possa estar pensando em dar fim à própria vida, fale com ela! Essa é a recomendação simples, mas fundamental, que faço ao abordar aqui um tema tão delicado como o suicídio, e sobre o qual ainda se fala pouco.

Para começar, é importante lembrar que há no mundo algumas culturas em que o suicídio foi percebido (talvez ainda hoje possa ser para alguns) de uma forma diferente da que é vista no mundo ocidental. Existem culturas nas quais, sob determinadas circunstâncias de vida, o indivíduo, embora não sendo coagido a isso objetivamente, teria o dever moral de acabar com o próprio viver. Um delicado filme japonês da década de 1980 intitulado *A balada de Narayama* trata de algo que chega próximo ao suicídio: a história se desenvolve na pequena aldeia de Narayama (palavra que quer dizer "o caminho do homem"), onde é tradição que os velhos, ao atingirem a idade de 70 anos, subam para o topo de uma montanha próxima e lá, sozinhos, esperem pela morte. Se nesse filme o "suicídio admitido" pelo idoso pode ser visto como ficção, de outra forma, hoje pratica-se, em alguns poucos países nos quais é previsto em lei, o chamado suicídio assistido: uma pessoa cujas condições de saúde são precaríssimas e para as quais não há possibilidades de recuperação – logo, que permanecerá em situação existencial de sofrimento ou se encaminha para uma vida vegetativa – pode optar por dar fim à própria existência, com a presença de familiares, amigos e com a assistência profissional de um médico que executa o procedimento.

Voltamos ao foco deste texto: o suicídio decorrente de problemas mentais. Existe um projeto que se desenvolve anualmente no mês de setembro, chamado *Setembro Amarelo*, que visa à prevenção de suicídios, mediante divulgação pelas mídias de ações que intentem reduzi-los. Evidentemente, é possível a prevenção de suicídios.

Talvez seja novidade para vocês que a causa das tentativas e dos suicídios efetivados tem relação com doença mental. As condições mais relevantes para levar ao suicídio são as de transtornos de humor, no caso as depressões, as de dependências químicas – como do álcool, maconha, cocaína, *crack*, psicoestimulantes –, as de esquizofrenia e de outras psicoses. Os dependentes químicos são os que correm maior risco de se suicidar. Idosos e adolescentes também são populações de risco maior.

Sabendo das causas que levam as pessoas a atentar contra a própria vida, por que é difícil evitar essa ação? Vamos construir juntos esse entendimento. Em primeiro lugar, existe muito preconceito em relação às doenças mentais. Dito isso, pensem que o doente psiquiátrico sofre duplamente: por estar com doença mental e por não se sentir à vontade para falar sobre seu sofrimento com as pessoas que o cercam. No caso, pelo preconceito de que teme ser alvo. Provavelmente, você já presenciou e ouviu uma manifestação assim: "ele não tomou seu remédio dos nervos, é por isso que está atacado". *Bullying* direto, na veia.

Vocês já escutaram ou leram que não é bom falar sobre suicídio com uma pessoa que esteja "mal das ideias", pois poderá aumentar a chance de ela querer se matar. Isso é uma inverdade, uma bobagem. Mas por que se criou na coletividade esse tabu de não se tocar nesse assunto? Porque é indigesto, desconfortável e até temeroso para muitas pessoas falar sobre sofrimentos mentais, logo, elas fogem desse assunto, querem se ver livres. Na nossa cultura, tendemos a desprezar o falar sobre os sentimentos com as pessoas, procuramos assuntos mais alegres, relacionados a bem-estar, poder, vida sexual, viagens, futebol, festas etc.

Observem este contraponto: caso aquela pessoa sofresse, por exemplo, de pressão alta, diabetes ou asma brônquica, não haveria aversão, rechaço; ao contrário, até lhe seria dado um suporte verbal, seriam oferecidas dicas e se falaria abertamente com ela sobre aquele sofrimento. Essas doenças físicas trazem acolhimento.

A rejeição pelo outro é um dos problemas do sujeito em risco de suicídio. Por ter uma inclinação doentia para não se comunicar com os demais, a recusa à interação por parte do outo agrava o isolamento, leva-o a se tornar mais solitário, olhando para dentro de si e vendo tudo sombrio. As pessoas aproveitam esse enclausuramento do doente para não se aproximar, não conversar com ele.

Vou sugerir um "passo a passo" a ser seguido diante de uma suspeita, uma desconfiança de que alguém possa vir a atentar contra a própria vida. Se passar pela sua cabeça a ideia de que isso poderá ocorrer, leve a sério essa intuição ou percepção. Em primeiro lugar, diga à pessoa sobre a sua preocupação com ela. Fale algo como "Estou encucado, pois te vejo diferente, triste, isolado dos outros, e queria saber se está bem. Pensei que pudesse ter perdido a vontade de viver. Isso faz sentido para ti?". E siga perguntando: "Andas com vontade de morrer?". Se a resposta for positiva, dê um passo à frente e pergunte: "Tens vontade de morrer ou de acabar com tua vida?". A *vontade* de morrer, como episódio fortuito, pode se fazer presente em momentos de grandes frustrações ou de perdas no curso da vida de qualquer um. E esse argumento pode servir para um princípio de diálogo com a pessoa com intenção suicida.

Porém, se o indivíduo revelar desejo efetivo de acabar com a própria existência, pergunte a ele de que maneira pretende dar fim à vida e se já estaria se organizando para esse fim. Também acho oportuno perguntar se, mesmo com essas ideias destrutivas na cabeça, não tentou procurar alguém para auxiliar a conter esses impulsos destrutivos. À medida que a pessoa fala sobre seus devaneios destrutivos, haverá, com certeza, um alívio emocional, pois ali estará alguém conversando com ela com tranquilidade, o que em si já auxilia muito. A conduta final será a de dizer que ela precisa de mais ajuda, que você irá telefonar para um familiar, um amigo, ou que você mesmo a levará para ser avaliada por um médico. O ideal será a avaliação feita num serviço de urgência psiquiátrica, onde poderá inclusive, se for o caso, ser medicado ou até internado. Claro que, se um sujeito está sob efeito de drogas, essa conversa deverá ser mais cautelosa, tem que se ficar mais atento, pois o juízo crítico dessa pessoa e o sensório estarão prejudicados para conversas mais intimistas. Nesses casos de alguém drogado, a melhor conduta é não o deixar só. Tentar levá-lo a um serviço de urgência.

Certamente, não é recomendável, diante de alguém em desequilíbrio mental com notória intenção de suicídio, que se apele para recomendações de natureza quase mística, dizendo a ele que "tenha pensamento positivo, que isso passa", "reze, e irá melhorar", "não deves te matar porque irás para o inferno". Não se trata aqui de crença, mesmo religiosa ou fé, mas de oferecer assistência concreta àquele que está doente.

Lembro que, há anos, um amigo relatou-me uma situação de suicídio que vivera no seu ambiente de trabalho. Contou que eram em cinco colegas que trabalhavam num mesmo local. Certo dia, um deles se suicidou, o que causou grande abalo afetivo no grupo. Esse amigo me disse que, realmente, antes do ocorrido, o suicida havia demonstrado comportamento um tanto diferente, faltava ao trabalho, abandonava sua mesa e permanecia por longos períodos estático em frente à janela observando a rua, calado, e que andava descuidado com o aspecto físico. Lamentou que o suicida não os procurou para relatar suas dificuldades, para pedir ajuda. Ora, não é o esperado que os suicidas procurem alguém para pedir ajuda. Cabe, isso sim, aos mais saudáveis, uma vez constatadas atitudes anormais, procurar conversar, interagir, conforme salientei anteriormente.

Existe uma frase bastante difundida em nosso meio que diz: "Quem fala em se matar não se matará!". Quero chamar atenção do leitor para o fato de que temos de dar atenção a essas pessoas, pois falar ou ameaçar se matar já é um transtorno psiquiátrico que deve ser abordado. Logo, essa máxima não é verdadeira.

Não podemos esquecer, na prevenção do suicídio, a importância do CVV (Centro de Valorização à Vida), fundado em São Paulo em 1962, que oferece o telefone 188 para contato gratuito dos que estão desalentados e pensam em suicídio como fim dos seus infortúnios.

O CVV funciona 24 horas e sete dias na semana em todo o Brasil. Alguém lá no outro lado da linha estará pronto para acolher a chamada de quem está sofrendo e pensando em acabar com a vida. Lembremos que as estatísticas de suicídio são crescentes e que as mídias sociais favorecem o desenvolvimento de quadros depressivos. Existem situações descritas em que adolescentes oferecem treinamentos para se cometer suicídio.

20.

O ressentido é um eterno prisioneiro de si mesmo

>> *Ressentido é o indivíduo que está sempre a sentir novamente aquilo de ruim que lhe aconteceu ou interpretou ter lhe acontecido. O culpado é sempre o outro. O ressentido é um eterno magoado. O sentimento do ressentido é o de que alguém terá de pagar pelo seu sofrimento.* <<

A palavra ressentimento deriva do verbo ressentir, que quer dizer "voltar a sentir", "sentir novamente", "ofender-se", "magoar-se". O sujeito de quem se diz ser um ressentido é aquele que não agiu, que engoliu, que não superou e cultiva mágoa, amargura e rancor diante de algo que lhe ofendeu. Viverá envolto por uma bolha de sentimentos de vingança.

Nietzsche, um dos grandes filósofos do século 19, foi quem introduziu o conceito de ressentido. Ele disse ser ressentido aquele indivíduo que acredita que "Se eu sofro, alguém deve ser o culpado pelo meu sofrimento". Descreveu como uma vingança adiada, revolta passiva. Aí se encontra a fonte eterna do ressentimento. Veja, leitor, que esse conceito se originou não das correntes psicanalíticas, mas da área da filosofia.

Alguém poderia perguntar: "Por que o ressentido não reagiu no passado quando se sentiu enganado, traído, preferindo acalentar esse desejo de vingança passiva?". Talvez esse se colocar de vítima tenha um sentido imaginário de que a vida e as pessoas ficarão para sempre em dívida com ele. Passaria a ser um eterno credor de cuidados, atenções, afetos. É como se fosse um salvo-conduto para não se responsabilizar e cuidar do curso de sua vida. Que riqueza patológica pode existir na mente humana! Claro, tais desejos não serão atendidos, o que só aumenta o ressentimento com o passar do tempo. É como se fosse um mal necessário para a vida dessa pessoa. Um álibi adequado e irremovível para padecer permanentemente incrustado na perfeita "neurose"!

O ressentimento faz parte do cotidiano de muitas pessoas. Mesmo sendo ricas, com boa formação acadêmica, religiosas, cultas, podem ter a mente inundada, soterrada, confusa e adoentada, pois esse é um sentimento que intoxica e contamina o psiquismo humano. O ressentido tem dificuldade de expressar as suas raivas, suas chateações, que ficaram lá atrás, no passado, depositadas em alguém que ele sempre traz à mente, porque jamais conseguirá esquecer. Observe, leitor, o grau de comprometimento: a pessoa não esquece. Perceba a importância de esquecer aquelas coisas ruins que nos aconteceram. Seria o equivalente a passar um antivírus no computador. Em tempo, também faz sentido esquecer as coisas boas que ocorreram na vida. Mas por que esquecer as boas? Porque assim poderemos buscar outras coisas boas e não ficar remoendo o passado, como se aquelas vivências e experiências nunca pudessem ser recriadas no futuro – "Aquela namorada foi a melhor que tive, não vou achar outra igual!".

A vida é difícil – perdas, sofrimentos, separações, envelhecimento, morte etc. Não é possível esquecermos e superarmos todas as mazelas, mas, se ficarmos aprisionados às perdas e aos sofrimentos, haverá falta de energia para continuarmos dando sentido à vida. A vida é como ela é, escreveu Nelson Rodrigues, grande jornalista e escritor. Diria eu, não é nem boa nem ruim, é assim mesmo!

Porém, o ressentido também pode ter outra característica que chamo de comportamento passivo-agressivo. Observe, leitor, que interessante o que estou colocando aqui: a agressividade pode ter um viés passivo. A pessoa pode, com sua passividade numa aparente submissão, esconder toda a agressividade que nutre em relação ao outro, e ficar no papel de "bonzinho", de "coitadinho". Sente-se subjugada ou desqualificada, mas não mostra chateação, e aguarda para poder dar o troco. Combinar algo e não cumprir, por desprezo ao outro pode ser exemplo de agressividade passiva. Não é fácil, para algumas pessoas, mostrarem sua raiva, serem incisivas em relação àquilo de que não gostaram, até brigarem. Talvez o pior encaminhamento seja o da passividade diante de um ato ou palavra que desagrade. Caldo de cultura para o ressentimento.

Então, o ressentimento é algo que adoece a pessoa, na medida em que ela sempre vai debitando a culpa por seus sofrimentos nos outros, no passado. Por acreditar que a vida lhe deve muito, o indivíduo se julga credor.

O ser humano não escolhe onde nasce nem de quem nasce. Nascer é lotérico! A vida que construímos será a nossa vida, as oportunidades dependerão das nossas circunstâncias vitais. Então, é importante que tenhamos o cuidado de não ficarmos aprisionados ao passado supostamente devedor, à percepção de que a vida está nos devendo, que pessoas ou instituições nos devem coisas.

O ressentimento pode levar a pessoa a não interagir, a se abater, trabalhar mal, manter uma raiva constante. Então, eu diria para o ressentido que talvez seja salutar chutar o pau da barraca, não no sentido de sair batendo nas pessoas, mas de verbalizar as suas mágoas e chateações. Isso faz bem para a psique. Quem vai à luta não se ressente. Se alguém age de uma forma que não aceitamos e rompemos com essa pessoa para sempre, isso não é ressentimento, é atitude, ação, atividade. Ao contrário, caso a pessoa comprometa a evolução da própria vida em decorrência de algo que a fez ficar muito raivosa, tornar-se-á uma ressentida. Caso a esposa traia o marido e este passe o resto da vida nutrindo raiva em relação a ela ou às mulheres, estaremos diante de um ressentido.

Ok, existem perdas não superadas, e, nesses casos, a pessoa corre o risco de ficar enlutada e deprimida, o que é diferente de ser ou de se tornar ressentido. Elaborar as perdas, traições e reveses da vida é um antídoto ao ressentimento.

Vamos finalizar com o filósofo Espinosa, que viveu no século 17. O ressentimento poderia ser entendido como uma paixão, podendo ser enquadrado num grupo que Espinosa chama de "paixões tristes". Interessante que a origem da palavra paixão é a mesma da palavra grega "*páthos*", da qual também se origina a expressão patologia (doença). Espinosa revoluciona o pensamento filosófico e troca a ideia de paixões boas ou más por paixões tristes e alegres. O ressentido está inundado por paixões tristes, o que tira sua potência de agir. Fatalmente, essa pessoa terá uma vida comprometida!

Conversar com um psicoterapeuta sobre suas amarguras certamente auxiliará o ressentido a sair de seu brete neurótico. Diante desse sofrimento, medicamentos psiquiátricos não trarão o menor alento.

21.

Os astros de Hollywood andam "pirando"

>> O nosso psicológico ou inconsciente poderá nos levar a comportamentos inesperados. O emocional das pessoas pode estar comprometido por condições prévias, e isso pode nos impelir para ações aparentemente descabidas. Se não olharmos atentamente para nossa psique, não tivermos intimidade com o emocional, o risco de escorregarmos e apresentarmos o nosso pior é grande. Ninguém escapa dessas armadilhas, e o pior é quando elas se passam na frente das câmeras da TV. <<

A análise que desenvolverei aqui tem como pano de fundo o acontecimento visto na TV por milhões de pessoas no mundo. A cerimônia de premiação do Oscar, em Hollywood, em 2022. Estou trazendo esse episódio por se constituir em algo que, na sua excepcionalidade, é da natureza humana em sua imutável agressividade. Trata-se, como deve o leitor de boa memória lembrar, do episódio relacionado à subida ao palco do ator Will Smith para dar uma bofetada, ou melhor, um tapa na cara do comediante Chris Rock, que naquele momento apresentava parte do espetáculo. Isso criou uma situação que fervilhou no mundo inteiro. A princípio, até pairou certa dúvida se acaso seria uma encenação, mas evidentemente foi real.

Um dia depois do acontecido, fui procurado por um veículo de mídia para falar sobre o ocorrido. Queriam saber o que um profissional que investiga a psique humana pensava sobre o fato, pois até a imprensa estava confusa. A primeira coisa que eu disse foi: "Ali observei um episódio que me remeteu a uma das pérolas do escritor e jornalista Nelson Rodrigues: 'A vida como ela é'".

Will Smith é um ator reconhecido, e boa parte de sua vida transcorreu ante as câmeras, nos estúdios cinematográficos. O impacto da atitude de Will foi significativo porque, captado pela TV, mostrou o lado, aparentemente, atrapalhado e confuso do ator. Essas mesmas câmeras que o impulsionaram ao sucesso agora lhe impunham esse revés. Claro que não estou aqui para crucificar o ator, mas a ação deixou no ar muitas dúvidas sobre a motivação do fato. Todos vocês fizeram suas interpretações e seus entendimentos e, provavelmente, tomaram partido de um lado ou do outro. O comediante foi muito inadequado, mas eles são assim, por vezes ridículos e abusadores. Fazem gozações com a plateia, isso é uma característica de atuação de muitos humoristas; às vezes, são até perversos com o público; mas isso faz parte do *show* da vida.

Aqui procuro esboçar algumas ideias que transitaram em minha mente diante do ocorrido. Quando é feito o comentário ou o gracejo de mau gosto com sua esposa, Will revela um pequeno sorriso, como se tivesse absorvido a piada. Ato contínuo, olha para a esposa, e ela demonstra uma face de descontentamento. Nesse momento, ele muda de atitude, como se recebesse um comando remoto ou uma comunicação inconsciente da companheira para que agisse. Levanta-se e vai ao encontro de Chris. Ao chegar perto, dispara um tapa em seu rosto – não foi um soco, ato que costuma refletir uma ação mais máscula e raivosa.

Depois de dar o tapa no comediante e voltar para o lado da esposa, começa a gritar palavras duras para seu desafeto. Parece que sua coragem brotou longe do oponente, como se fosse uma teatralização. No mínimo, uma atitude dúbia, ambivalente, de quem estava confuso com suas emoções e ações. Será que agiu dessa forma para agradar à esposa? Depois do episódio, ainda na festa, uma artista amiga do casal, ao ser entrevistada, disse o seguinte: "Bem que eu gostaria de ter um homem que me defendesse assim". Surgiu nas redes sociais um apoio do filho ao pai. "É isso aí, pai, agiste muito bem!". Observe, leitor, que interessante a cena. O que teria levado o marido a tomar as dores da esposa? Seria necessária essa atitude? Até porque há, no momento, um movimento mundial por parte das mulheres para fugirem dessa dependência masculina!

Quando se levanta para defender a esposa, poderíamos intuir que, de certa forma, ele ao mesmo tempo a desmerece e a desvaloriza. Ela poderia subir ao palco e defender-se. Se a companheira tivesse adentrado o palco e desferido um tapa na cara de Chris, seria uma circunstância distinta. Provavelmente, a plateia do evento e a que acompanhava pela TV perceberiam a força e a potência da esposa. Não deixaria de ser uma demonstração do saudável empoderamento feminino. Com certeza, seria aplaudida.

O nosso grande astro é um ser humano comum, igual a todos nós, com suas fragilidades e, talvez, sérios conflitos conjugais. O comediante pode ter sido somente o gatilho de tensões e conflitos psicológicos que habitam a alma de Will. Em nenhum momento, sou partidário do abjeto e indecoroso humorista. Foi também bastante divulgado nas redes sociais que Will e sua esposa mantinham um casamento aberto, ou seja, as relações extraconjugais eram consentidas. Ela também é atriz, mas, segundo a imprensa especializada, não fez tanto sucesso como ele. Ficaria uma pergunta no ar. Teria ela inveja do sucesso do esposo, pois acabou roubando as atenções que deveriam estar canalizados ao marido? Claro que são especulações focadas em aspectos subliminares e psicológicos que ficaram postos no episódio. A esposa foi diagnosticada com alopecia, que é um transtorno que faz perder cabelo. Ela apresentava-se com a cabeça raspada. Esse distúrbio tem forte relação com problemas psicológicos.

Quando volta ao palco, agora para receber a estatueta, o ator está visivelmente abatido, chora e tenta explicar o inexplicável. Só lhe resta chorar. Com certeza, percebeu que desfizera a força do prêmio que recebia. Quem sabe, inconscientemente, não se sentia merecedor dessa distinção? Passados alguns dias, soube-se pela imprensa que fora internado em uma clínica para tratamento de um quadro depressivo. Claro que o episódio em si não seria um fator tão relevante para levá-lo a uma internação. Seguramente, outras vivências sofridas e não resolvidas de sua mente acabaram soterrando-o.

O ator interpretou, no filme *King Richard: criando campeãs*, o pai das campeoníssimas tenistas norte-americanas Serena e Venus Williams. Will saiu-se tão bem nesse papel que ganhou o Oscar de melhor ator em 2022. Também as câmeras flagraram uma manifestação de surpresa e de aparente desagrado da grande tenista Serena, que estava na plateia.

Então, assim é o ser humano. Assim somos nós. O ser humano é potente em atitudes autodestrutivas. Quem é menos perceptivo ao poder dos conflitos emocionais de atrapalhar nossas vidas não entenderá essa possível hipótese de o ator ter se penalizado ou ter praticado autopunição. Fiz várias digressões, mas, provavelmente, fatores ou conflitos emocionais relacionados à vida conjugal, que não transpareceram para o público, devem estar no âmago desse sofrido episódio. Acho que isso serve para constatarmos que mesmo lá em Hollywood, onde estão personagens maravilhosos e glamorosos, ocorrem coisas humanas, pois eles são criaturas como nós, que se atrapalham e se confundem. A vida como ela é.

Todos nós costumamos representar, somos atores no nosso cotidiano, pois é uma necessidade vital. Nem sempre podemos deixar transparecer o que se passa em nossa mente. Precisamos tentar ser cuidadosos no trato de nossas emoções e de como elas podem extravasar, transparecer. Podemos escorregar numa atitude dita "sincericida", ou seja, um desastre comportamental como resultado de oferecer algumas ideias em momentos inadequados.

Cada pessoa mostrará suas características íntimas de forma diversa, conforme o seu momento e o ambiente em que transita. No espaço social, somos de um jeito, na atividade esportiva com amigos e no trabalho, podemos oferecer um outro personagem. Já nos nossos espaços de intimidade, em casa com a família, pode aparecer um ator mais rançoso.

Num diálogo entre um casal ou de pais com filhos, seria possível se ouvir algo como: "Com teus amigos tu não és agressivo, grosseiro, e não tratas a eles como a mim". Percebo que, nos espaços mais privados, tendemos a nos mostrar sem defesas sociais ou culturais, como se nesses momentos aparecesse o ser menos lapidado em suas emoções. Isto é, assumimos diferentes facetas, conforme a ocasião. Assim é o ser humano. Como disse Caetano Veloso, "de perto ninguém é normal"!

22.

Às vezes, não vemos a felicidade ao nosso lado!

>> A busca da felicidade parece ser um objetivo vão dos seres humanos. A felicidade não está fora de nós. Consumo, bebidas, dinheiro, sexo, não conferem vida feliz a ninguém. Podemos encontrar prazer ao falar a alguém, ao ouvir alguém, ao conviver com pessoas. Será feliz aquele que tiver competência e saúde mental para preencher seus vazios interiores. <<

Muito se tem falado, ao longo da história humana, sobre felicidade, sobre o que é ser feliz, como atingir a felicidade, em que ela seria constituída. Os filósofos se debruçaram sobre o tema desde sempre. Já ouvimos esta máxima, que aqueles que não pensam seriam mais felizes! Ledo engano, o pensar é o diferencial na busca de uma vida mais plena. Sócrates talvez tenha sido o primeiro psicanalista do mundo, pois apregoava o pensar como terapia. A cura pelas reflexões. Desenvolveu uma forma de diálogo que tonteava os seus interlocutores com perguntas, o que se denominou de *maiêutica*. Vamos tentar aqui também encontrar algumas pistas que nos levem a, pelo menos, enxergar com clareza este tema que tanto ocupa as pessoas: a busca da felicidade.

Por que o título diz "Às vezes, não vemos a felicidade ao nosso lado"? Porque felicidade é algo que não está pronto por aí na vida, que basta ir atrás e pegar. A mais importante reflexão é que ela não está fora de nós. Não é algo que podemos adquirir com dinheiro, que se acredita ser a grande fonte de poder e que, no fim das contas, é o que as pessoas perseguem na vida: o dinheiro, o poder, como se fosse o caminho para a felicidade!

Para alguns, a felicidade poderia residir nestas situações: ter carrões, morar em apartamentos ou casas espetaculares, viajar pelo mundo, frequentar festas descoladas, estar acompanhado por mulheres ou homens bacanas, transar com várias pessoas, usar drogas para vivenciar outras sensações. Novamente, percebe-se a felicidade sendo buscada fora da pessoa.

Mas, antes de prosseguir, valeria a pena delinear duas concepções ou duas visões do que poderia ser felicidade para alguns. Chamaria de felicidade episódica, isto é, aquela que acontece como um evento momentâneo em nossa vida e que se enfraquece em seguida. Por exemplo, imagine alguém que recebe a notícia de que foi aprovado em um concurso, para cuja preparação tenha dedicado muito tempo em estudos e cujo resultado irá proporcionar à pessoa algo a que sempre almejou; no momento em que recebe a notícia da aprovação, o indivíduo será tomado de uma felicidade ou de um prazer exuberante, uma sensação indescritível talvez. Aquela mesma sensação, essa mais corriqueira, que acontece quando o time pelo qual você torce vence uma partida de final de campeonato. Mas esse êxtase se esvai, com o passar dos dias, e tudo voltará a ser como antes. Ou seja, aí tivemos episódios ditos de felicidade, que acontecerão várias vezes durante a vida. Muitos poderão dizer: isso não seria felicidade, mas uma alegria, ou bem-estar, decorrente de algo eventual! De todo modo, não será dessa agradável sensação que se falará aqui, mas de algo que se revele numa satisfação, num prazer em viver a vida, ainda que com todas as dificuldades e os sofrimentos que cada ser humano encontra durante sua existência.

Trarei mais um elemento para conectar aos sentimentos ligados à busca da felicidade. Para se viajar nessa jornada, é determinante que se tenha mais intimidade com nossas emoções ou com nós mesmos, ou seja, afirmo que não se conseguirá ser feliz sem saúde mental.

Mais um ponto a ser explorado: o que é saúde mental? Também esse é um conceito complicado. Se a pessoa não tem nenhuma doença mental – como fobia, síndrome do pânico, ansiedade, depressão, paranoia, transtorno bipolar –, não quer dizer que ela tenha saúde mental. Pode parecer um pouco contraditório, mas não é. Porque saúde mental é uma capacidade que o ser humano terá ou não terá, dependendo das circunstâncias, de tirar proveito da vida. Para tanto, contribuirá, digamos, que o indivíduo tenha capacidade de se aborrecer menos com todas as adversidades que o dia a dia nos oferece, de não ficar tão frustrado com os que estão à sua volta.

As pessoas com quem convivemos por vezes verbalizam coisas que nos aborrecem, às vezes prometem e não cumprem. Você imaginava que seria promovido, que seria convidado para um evento, mas nada disso aconteceu. Como lidar com frustrações desse tipo para que não causem muitos estragos no seu dia? O ser humano é muito descuidado com as palavras, e isso pode fazer com que a gente se abata ao ouvir algo, ou mesmo por dizer algo inapropriado ao outro. São exemplos de situações que podem nos trazer desconforto, logo, menos potência para construir a sonhada felicidade. Então, saúde mental é uma capacidade de transitar entre essas coisas do cotidiano sem se abater muito – e que nos remete a termos intimidade com nós mesmos. É difícil esse exercício na realidade dos momentos em que isso acontece! Note-se ainda que a saúde mental pode expandir ou diminuir durante cada dia. Gosto de relatar que, pessoalmente, sempre estou de "olho em mim", cuidando do "antiNelio" que está de prontidão, pronto para me sabotar e me passar a perna.

Evidentemente, cada um precisa desenvolver as suas habilidades para superar situações circunstanciais e se sentir satisfeito consigo mesmo, com a sua vida, e assim entender que vale a pena investir no viver. Na perspectiva desse investimento na própria vida, vale a pena analisar outra pergunta que os indivíduos se fazem desde sempre, e para a qual ninguém até hoje forneceu uma resposta: qual o sentido da vida? Talvez, não haja cabimento em falar no sentido da vida! Eu, particularmente, penso que a vida não tem nenhum sentido e que cada um deve fazer sua vida ter sentido a seu modo. Buscar viver com leveza, com satisfação, desenvolvendo relações afetuosas com os nossos pares, pode ser uma maneira de dar sentido ao viver e, consequentemente, um bom caminho para a dita felicidade!

Vou trazer mais um tópico que se comunica com a felicidade. O indivíduo costuma ser invadido, usualmente e em diferentes momentos da vida, por uma sensação muito pessoal: vazio interior. Como se desenvolvem essas adversidades? Vinculam-se a condições psicológicas que transitam na vida, às vezes originadas em fatos concretos, outras vezes, subjetivos, fantasias, lembranças, que nos causam uma sensação de mal-estar. A pessoa que usa drogas ou álcool por certo deve ser alguém com muitos desses vazios. Evidente que, nesses casos, o vazio só aumentará, pois o uso de substâncias químicas causa depressão em seus usuários, logo teremos um círculo vicioso. Não existem saídas para esses males por meio da busca de prazeres mundanos. Nada disso preenche vácuos interiores; no outro dia, eles estarão presentes como sempre, ou, pior ainda, estarão amplificados, e aí teremos um perfeito caldo de cultura para a depressão. Considero que aqueles que têm mais habilidades em preencher os seus vazios estarão mais aptos a usufruir a dita felicidade.

Vamos dar uma pincelada na experiência do *ficar só*. A pessoa que tem a capacidade de ficar só, de passar um tempo refletindo, lendo um livro, de viajar só, de ir desacompanhada a um restaurante, de ficar em casa assistindo a uma série sem precisar de companhia, revela grande competência emocional para preencher os seus vazios.

É uma bela ferramenta que indica boa saúde mental e, consequentemente, a capacidade de construir a sua felicidade.

E sobre o *saber ouvir*? Os que têm capacidade de ouvir os outros, além de serem empáticos com aquele que fala, são psicologicamente beneficiados com isso, pois conseguir ouvir o outro, dar atenção a ele, é algo essencial nessa desconstrução de vazios. Dar importância à conversa dos outros, inclusive a de pessoas que estão em nível cultural ou profissional abaixo do nosso, é algo benéfico nos dois sentidos. Vale enfatizar que ouvir as crianças é uma forma de valorizá-las e também um expediente saudável para acalentarmos esses vazios. A pessoa que tem a capacidade de ouvir, escutar com atenção, está construindo uma competência, e pode-se afirmar como alguém que, por meio dessa prática, vai estabelecer harmonia em sua vida.

Então, felicidade não existe no sentido de estar pronta, mas é algo que cada um de nós precisará construir. E é um sentimento que, ao final de uma jornada, ao se chegar em casa, nos dá a percepção de bem-estar, de que a vida está valendo a pena ser vivida, mesmo diante da dureza e das incertezas do viver. Logo, a felicidade não existe, precisará ser construída e reconstruída, pois esse é o processo que percorremos em nossas vidas. Temos de construir, e parece ser trabalhoso – na verdade, muito trabalhoso.

Para finalizar: é fácil buscarmos culpados pelos nossos sofrimentos e mazelas, sempre podemos colocar em alguém a razão de a nossa vida ser difícil; entretanto, é oportuno focarmos aquilo que depende de cada um de nós para que a vida possa ser mais proveitosa e satisfatória. Se não dermos atenção a nossa postura diante da vida, podemos percorrer este caminho perigoso, que seria nos tornarmos *experts* na "arte de ser infeliz", título de outro livro de minha autoria.

Sócrates teria criado esta máxima, que não deixa de ser seu indicativo para a busca da felicidade: "Conheça-te a ti mesmo que conhecerás os deuses e o universo"! No caso, os deuses são os nossos fantasmas ou nossos conflitos que serpenteiam a nossa psique. Já Aristóteles dizia que ser feliz é estar bem consigo mesmo. Bem simples!

Assim, é nesse sentido que a felicidade pode estar ao lado e não a percebermos, desejando algo grandioso e permanente. Ao contrário, talvez possamos considerar que a felicidade seja encontrada em nós mesmos, a felicidade como algo que precisamos lapidar, quase que de forma abstrata em nós. Sempre é oportuno lembrar que pessoas com graves limitações diante da vida ficarão mais incapazes de sentir com mais frequência a sensação de felicidade.

23.

Vale a pena "quebrar o pau" no dia a dia?

>> Quebrar o pau é sinônimo de arranca-rabo, desentendimento vigoroso, com palavras duras. Muitas vezes, os fatos desencadeadores dessas rixas severas são menos relevantes que a reação emocional que se desencadeia nos envolvidos. Isso indica que pequenos gatilhos podem mexer com o que está reprimido no nosso inconsciente. Depois do perrengue, é frequente a presença de sentimento de culpa e conflitos emocionais que podem nos trazer grandes sofrimentos psicológicos ao ponto de comprometermos o dia a dia. <<

É interessante a expressão usada em nossas narrativas para expressar que nos desentendemos com alguém: "quebrar o pau". Uma boa metáfora! Indica que existe algum conflito fora de controle ou mesmo uma briga corporal, em suma, risco de rompimento, confronto. Com certeza, porque as possibilidades do diálogo findaram.

Certo dia, caminhava pela rua e pude ouvir uma senhora que falava ao celular dizer veementemente: "Eu só sei que quebrei o pau com ela!". Quer dizer, essa pessoa relatava uma briga, um bate-boca com outra criatura. Pareceu que se vangloriava desse feito. Provavelmente, sentia-se abatida e irritada diante da sua incompetência de obter o que desejava desse seu diálogo com o outro indivíduo. Claramente, deixava transparecer que essa rixa não lhe trouxera bem-estar, mas, no seu imaginário, deve ter sido necessária.

É esperado que, quando brigamos, nos atritamos, batemos boca, nos irritamos, automaticamente se desencadeie dentro de nós uma descarga de adrenalina. Adrenalina é um neurotransmissor que tem a função de nos acelerar, nos colocar em alerta, partir para luta ou fuga. Quando levamos um susto, o coração dispara, temos uma sensação de calor no corpo, suamos mais e podemos correr para qualquer lado, tudo induzido pela adrenalina. Ela também nos ajuda a reagir diante de situações de risco, como um ataque de um cão, ou ao ouvirmos o alerta "fogo!" etc.

* * *

Outra consequência do quebra-pau é que desencadeia um processo conflitivo em nossa psique. Ficamos remoendo o fato e tendemos a manter o conflito com o tal do oponente dentro do nosso imaginário. É uma maneira de, mesmo distante da pessoa ou de o fato já ter ocorrido, mantermos a chama da discórdia acesa em nossa mente. Não deixa de ser uma forma de continuarmos abrigando o oponente dentro de nós; seguimos combatendo com ele em pensamentos. Quantos prejuízos ocorrerão na sequência? Não será possível nos concentrarmos para ler, ver um filme, assistir à TV, transar e mesmo conversar com um amigo, pois a mente está aprisionada nessa rixa passada. É como se perdêssemos temporariamente o controle de nossas emoções e do pensar, já que nos acasalamos com o dito mau elemento!

Imaginem, numa relação matrimonial, quebrar o pau com o cônjuge. Como se sai dessa encrenca? Em razão disso, há casais que ficam dias sem se falar, vão dormir em locais diferentes da casa mesmo sob condições desconfortáveis. Posteriormente, como farão para se reaproximar? Num ambiente de trabalho, se há um bate-boca, como será a circulação entre essas pessoas que ocupam o mesmo espaço laboral e necessitam conversar sobre decisões profissionais?

Evidente que a vida é feita de quebra-paus. São inerentes à existência humana os conflitos mais severos, e às vezes até pode ser saudável tomar uma atitude desse calibre. Existem muitas vertentes para se entender essas encrencas. Cada um de nós tem suas características de personalidade, como se fosse um padrão de nossos procedimentos. Imaginem as pessoas ciumentas e desconfiadas. O ciúme é um caldo de cultura apropriado para envolver pessoas em confusões. Aqui podemos assinalar uma das razões, entre muitas, para explicar a desconexão entre a fala, a escuta e a ação. Sempre há o risco de mal-entendidos. Outro ponto relevante que pode gerar brigas é a possibilidade de a pessoa ser portadora de algum distúrbio psiquiátrico ou psicológico. Essas condições fazem aumentar os arranca-rabos. O uso de álcool, maconha e outras drogas e substâncias psicoestimulantes, como *ecstasy* ou LSD, também irá aumentar em muito o risco de quebra-paus.

Podemos agregar a essa lista de fatores de risco o comportamento de indivíduos espaçosos, que desejam controlar as atitudes, a fala e o pensar dos outros. Todos conhecem esses personagens. Apresentam-se muito falantes, bem articulados, vão cassando a palavra dos que estão em volta. Não conseguem ouvir o que lhe dizem. Escutam, mas não registram. Estamos diante dos tiranos ou ditadores de suas narrativas. São mestres em desqualificar os que se opõem a suas ideias. Diante dessas figuras, ou nos calamos, nos afastamos, ou mostramos toda a nossa ira rodando a baiana.

Em outras palavras, todos somos uma bomba-relógio que pode explodir a qualquer momento. Gosto quando consigo transitar no meio de pessoas enganadoras, tapeadoras, mentirosas e até das arrogantes e irritadiças sem que elas consigam me contaminar. Sempre procuro fazer um rápido exercício interior e pensar: "Esse problema não é meu, não foi causado por mim, logo, não vou permitir que debitem em mim essa conta". Controlar minha impulsividade e minha brabeza me é fundamental.

Quebrar o pau também representa dar fim ao opositor. O tacape, feito de pau, era uma ferramenta de guerra para abater os inimigos. Com um pau, podemos matar uma pessoa; dessa forma, quebrar o pau tem um simbolismo agressivo de liquidar aquele que nos deixa raivosos ou mesmo frustrados. Existe um ditado bem conhecido: "Quem com o ferro fere com o ferro será ferido!". Poderíamos dizer: "Quem com o pau bate com o pau será abatido!". O ditado original e o criado por mim são potencialmente mortais.

As discórdias fazem parte da vida das boas famílias, dos casais, no trabalho, no esporte, na vida social, nas comunidades religiosas, enfim, onde há convívio humano. E esses desentendimentos se perpetuam em razão da contínua luta pelo poder. O ser humano quer mandar, dominar, controlar, e para tal usa todas as ferramentas possíveis. Pessoas mais fragilizadas, subjugadas, com baixa autoestima, tendem a se submeter a isso durante grande parte do tempo de suas vidas. Mas, quando rompem com esse estado de abatimento ou aprisionamento, podem quebrar o pau para valer, inclusive causando danos corporais naqueles que as submeteram. É melhor e mais saudável quebrar o pau com palavras do que com ações.

Pensem neste outro ditado: "Chutei o pau da barraca!". Também vai na linha de "botar para quebrar", mas sempre com um risco embutido nessas ações: de estarmos dentro da barraca, o que trará malefícios para quem chuta o pau dela. Em outras palavras, o nosso emocional, provavelmente, sofrerá reveses diante desses encaminhamentos mais raivosos ou impulsivos no cotidiano. É evidente que o ser humano não é "bonzinho" em sua índole. Observem a expressão que usamos quando terminamos uma relação amorosa: "Briguei!".

Vou fazer uma confissão. Percebo que, com o passar dos anos, diminuí muito o meu risco de quebrar o pau. Claro que, além de estar mais velho, busquei ajuda por meio de psicoterapias para me entender melhor e perceber a maneira como os demais se colocam. Bem, não existem receitas prontas para levar as pessoas a viverem com mais harmonia consigo mesmas e nas relações do dia a dia.

Gosto e pratico a atitude de dialogar quando do reencontro com pessoas com quem tive desentendimentos ou rixas. Digo que gostaria de expressar meu desconforto e meu descontentamento com o fato ocorrido e de deixar de lado os mal-estares decorrentes. Para que possamos transitar pela vida como ela se apresenta, é fundamental que tenhamos boa saúde mental, que é o objetivo deste livro: ajudar a desabrochar o potencial de inteligência ou saúde emocional.

24.

Você é do tipo que conta historinhas ou é verdadeiro?

>> *As pessoas não gostam, e talvez nem faça parte da nossa cultura, de falar com franqueza, ser verdadeiro a respeito do que estamos sentindo. Há situações concretas no cotidiano em que se precisa tratar um tema, e o único caminho é a verdade. Contar historinha, tergiversar sobre um acontecido, não deixa de ser um jeito infantilizado diante da vida e trará prejuízos emocionais.* <<

Por que é importante oferecermos a verdade para as pessoas das quais gostamos e com quem temos proximidade? Sim, é verdade que, quase sempre, temos muitas dificuldades de falar para as pessoas por quem temos consideração aquilo que estamos percebendo, o que estamos sentindo e pensando.

Obviamente, não estou me referindo a determinados compartilhamentos presentes nos porões da nossa mente, como, ao despertar pela manhã, relatar sonhos eróticos que tivemos com uma outra pessoa para o(a) companheiro(a); ou confessar à chefe que a achamos atraente; ou dizer que temos vontade de esmurrar o gerente; ou de narrar alguma intimidade da vida pessoal, como contar ao colega de trabalho que sua mãe roubava dinheiro do pai. Talvez essas revelações soem mais como uma intimidade "sincericida", isto é, quando externamos algo que só trará problemas e prejuízos para a vida e nenhum proveito àquele que escutou a revelação. Não é nada conveniente sermos boquirrotos. É saudável mantermos essas revelações contidas, ou as trabalharmos numa psicoterapia.

Há uns cinco anos, fiz um *workshop* numa empresa na cidade de Lajeado, no Rio Grande do Sul, para um grupo de cem gestores. Nesse seminário dei ênfase à importância de se oferecer a verdade para as pessoas que estão próximas. Uma semana antes de escrever este artigo, encontrei o CEO desse grupo e, numa conversa informal, relembrei aquele evento e perguntei se ele tinha percebido algum benefício para os participantes. De pronto, revelou-me que, ao acabar o evento, ficara conversando um pouco com alguns presentes, depois, ao se dirigir ao seu carro no estacionamento, um gerente de outro estado o havia abordado para falar. Esse gerente dissera que precisava revelar algo que carregava dentro de si havia uns dois anos e que, depois daquela palestra a que acabara de assistir, entusiasmou-se a falar. E falou. Bem, segundo o CEO, foi acolhido após relatar sobre a demanda que guardara por dois anos. Pensei comigo: "Valeu a pena o evento!".

É importante deixar transparecer com autenticidade o que se passa no seu pensamento diante de um fato específico em que ideias e sentimentos surgiram, e que possa compartilhar com seus pares. Claro que são apenas reflexões, não verdades definitivas que os outros devem acatar. Muitas vezes, nossa mente cria narrativas distorcidas de acontecimentos, para preencher nossas necessidades inconscientes, para "nosso consumo", que não expressam a realidade do acontecido. Trata-se, nesse caso, de uma situação de autoengano, uma armadilha.

Suponha, como exemplo, que um colega o convide, no início da semana, para uma festa na sexta à noite, mas você é evasivo, não confirma, diz que precisaria ver melhor se teria condições de ir e que depois daria a resposta. Chega a sexta-feira, você não respondeu, e seu colega não toca mais no assunto. Na segunda-feira, ao voltar ao trabalho, você fica sabendo que ele foi à festa com o chefe do setor. Então, você fica regurgitando internamente, silencioso, consigo mesmo: "Preferiu convidar o chefe, porque é um puxa-saco!". Temos nesse exemplo a situação em que a narrativa é de autoengano, o sujeito se exclui de uma atividade e debita no outro a responsabilidade. Quer dizer, foi criada uma historinha com prejulgamento rancoroso para justificar o seu não posicionamento.

Sei que será muitas vezes difícil falar honestamente com o outro sobre assuntos mais íntimos e verdadeiros, que envolvam sentimentos. Tendemos a fazer sempre algum teatrinho, deixar o dito pelo não dito, "enrolar, ficar bem na foto" e não oferecer com clareza o que se passa no nosso imaginário. Não discordando, seria um desejo de agradar a todos, ser bonzinho e querido. Ledo engano!

Por que é difícil, para a maioria das pessoas, serem verdadeiras, transparentes, sem serem inadequadas ou agressivas? Em nossas vidas – na família, na escola, no trabalho –, não faz parte da cultura oferecer a verdade de uma forma delicada, afetuosa e respeitosa. Se olharmos para a conduta dos habitantes nos EUA, veremos que essa relação entre eles, do ponto de vista de serem claros, objetivos e verdadeiros, é radicalmente diferente da nossa. Já ouvi dizerem que os americanos são grossos nas relações. Penso que serem grossos pode ser o equivalente a serem verdadeiros! Podemos afirmar que o inconsciente coletivo brasileiro não trafega bem na temática da clareza.

Nas famílias, tentamos não expor as crianças à verdade da família, como se fosse uma maneira de protegê-las daquilo que supostamente poderia prejudicá-las; mas, mesmo não falando, as crianças percebem o que acontece nos bastidores relacionais da família. Sobre esse aspecto, sugiro que os novos casais, diante da chegada de filhos, pensem no saudável comportamento de oferecer às crianças a verdade, por mais dura que possa parecer. Por exemplo, não esconder da criança a morte de um ente querido; além disso, se possível, levar a criança ao velório, para que incorpore as ideias de morte, luto e finitude. Quando uma criança está chata, ranzinza, poder ser verdadeiro e revelar que estar com ela naquele momento é desagradável. Essa revelação é uma atitude amorosa.

Por que oferecer a verdade é importante? Porque, agindo dessa forma, quebraremos paradigmas perniciosos e enraizados e criaremos um elo relacional, mais simples, mais proveitoso, mais empático, saudável e com menos gasto de energia. Claro que essa via deve ser de duas mãos; ou seja, um superior hierárquico precisa também escutar o outro, teoricamente mais frágil na relação; e pais devem escutar revelações mesmo não muito agradáveis para eles vinda de filhos.

A intimidade, a verdade, mesmo que contrarie nossas expectativas, deve ser confortante, pois sabemos com clareza o que o outro pensa em relação a uma situação que era nebulosa. É como se desarmássemos uma granada que poderia explodir a qualquer momento. Diante de uma conversa transparente e verdadeira, tiramos a pressão causada pelo mecanismo de repressão inerente às relações humanas.

Não tenho dúvida de que se abrirá um espaço de aproximação e confiança quando cuidamos de representar ou teatralizamos menos no dia a dia. Lembro-me de certa ocasião em que iria atender o filho de um político importante, às oito horas da manhã. O despertador não foi bem programado, e perdi a hora. Liguei e avisei que não conseguiria chegar às oito horas, e combinamos de nos encontrar no fim da tarde. Ao recebê-los, o pai prontamente me disse: "Sei que a vida de médico é difícil, o senhor deve ter tido alguma emergência". Respondi que era mais simples, que não havia me acordado a tempo. Para mim, fez-me muito bem, e parece que não atrapalhou nossa relação. Somos, muitas vezes, teatrais diante da vida, o que pode ser adequado em algumas circunstâncias, mas, se nos autorizarmos a oferecer a verdade, sentiremos uma sensação de leveza, mesmo que o outro não absorva bem a nossa franqueza.

Caso venhamos a agir na tentativa de agradar nossos interlocutores, dizendo as palavras que ele gostaria de ouvir, semearemos na nossa mente tensões que podem fazer surgir aborrecimento, irritabilidade, falta de ânimo.

A verdade, com delicadeza e atenção, poderá aproximar o outro, pois ele poderá nos perceber desarmados, visto que a verdade é um chamamento para aproximação em qualquer área das relações humanas. É um bom termômetro para saber o quanto alguma pessoa, que está em volta de nós, nos dá atenção e quer ter uma relação diferente. Imagine, leitor, que, diante do desejo de transar de um dos parceiros, o outro, mesmo sem vontade, com medo de desagradar, acaba assentindo – esse comportamento não trará intimidade e aproximação, ao contrário, provocará distanciamento.

Lembrei-me do Sindicato Médico do Rio Grande do Sul, que, no final de suas publicidades nas mídias, diz: "A verdade faz bem à saúde"! Faz mesmo.

25.

Falar com mendigo vale a pena!

>> Pedintes que andam pelas ruas são considerados indivíduos de terceira classe. Por que as pessoas evitam falar com mendigos? Travar uma conversa com um pedinte pode se revelar uma rica experiência de vida, podendo enriquecer o imaginário dos dois interlocutores. Evitamos pedintes certamente porque a situação em que eles se encontram nos mostra a miséria humana, e evitá-los é medida autoprotetiva. <<

O leitor poderá estranhar o título deste capítulo e talvez vir a pensar: "Como assim, falar com mendigo vale a pena? Esses psiquiatras estão sempre viajando, vendo coisas onde não enxergamos nada!".

Frequentemente, somos abordados por pessoas que estão nas ruas, andando meio que sem rumo – mendigos, andarilhos, pedintes. Existe uma orientação "politicamente correta" para que não se dê dinheiro a essas pessoas.

Tenho costume de observar, dar atenção e falar com as pessoas que me contatam na rua para pedir uma ajuda ou oferecer algo que estão vendendo para sobreviver, vendedores ambulantes de guloseimas ou quinquilharias. Evidentemente que fico atento para estabelecer ou não essa breve relação – se a pessoa não está drogada. Certo dia, por exemplo, estava caminhando em Porto Alegre por uma rua de classe média alta e enxerguei um rapaz deitado no chão que me pediu alguma coisa; não dei atenção a ele, porque achei que estava drogado, e segui caminhando com meu filho Felipe. Pouco depois, retornando pela mesma rua, vi que ele continuava lá, e novamente fez contato comigo. Então, resolvi parar e conversar com aquele homem. Constatei que não estava sob efeito de drogas, então lhe perguntei por que ficava deitado no chão. Ele respondeu: "Estou aqui no chão porque assim as pessoas me olham e, talvez, me deem alguma atenção". Respondi: "Antes eu passei aqui e não te dei conversa porque achei que estavas alcoolizado. Então, primeira coisa: por que não levantas e vamos conversar?".

Ele prontamente levantou-se. Começou a falar. Perguntei seu nome, de onde e por que tinha vindo a Porto Alegre, em que local passava suas noites. Enfim, era uma pessoa que tinha plenas condições de manter uma boa conversa comigo. Meu filho estava um pouco sestroso e observando, mas logo entrou no papo. Para minha surpresa, esse senhor tinha mais capacidade e competência para se relacionar do que eu podia imaginar. Disse-lhe que seria importante, para receber algum tipo de atenção ou auxílio, ou seja, receber algum dinheiro, que se posicionasse como um ser humano igual aos outros. Que se mostrasse como alguém que está lá pedindo, mas não uma pessoa de segunda categoria, não como um esquálido jogado na calçada. Então, depois de espichar uma conversa com ele, como costumo fazer com esses pedintes, passei-lhe algum dinheiro, e seguimos nossa caminhada.

Lembro-me de outra experiência marcante. Frequentemente, encontro um senhor cego tocando seu violão e cantando, na calçada defronte à Santa Casa de Porto Alegre, onde se situa a clínica Psicobreve. Ele coloca seu chapéu no chão para receber contribuições. E assim ganha a vida. Certo dia, aproximei-me, cumprimentei-o e disse: "Vou te dar um dinheiro, mas é melhor não deixar no chapéu, porque são vinte reais. Pode algum esperto passar e levar o dinheiro". Notei que ficou surpreso pelo valor, pois no chapéu só havia moedas. Imediatamente ele respondeu: "Mas esses vinte reais não vão lhe fazer falta?". Atente, leitor, para a consideração dessa pessoa comigo, a sensibilidade de se preocupar – ele, o dependente da generosidade alheia para se manter –, de me perguntar se aquele dinheiro não iria me fazer falta. Pude enxergar a grandiosidade da alma daquele homem quando me fez essa pergunta. Fiquei emocionado, e ao escrever este relato volto a me emocionar. Na medida em que foi receptivo a mim, aproveitei para saber mais de sua vida, sua família, o quanto costumava ganhar nesse trabalho etc. A vida é surpreendente e gratificante. Fui ajudá-lo, e ele generosamente me gratificou com sua sensibilidade, tocando-me com sua atitude.

Dizem que não se deve dar esmolas, porque é uma postura que reforça ou perpetua a situação de degradação social. Não penso assim. Quando vejo alguém pedindo ou vendendo algo, enxergo dignidade na atitude. Tento me colocar naquele papel e percebo o quanto deve ser difícil. Sempre que faço um donativo, contribuo com uma quantia que possibilite comprar alguma coisa para comer, logo, não faz sentido dar um real!

Também fico muito tocado quando observo alguém catando lata ou embalagens plásticas numa lixeira. Alguns entram em um *container* de lixo à procura de recicláveis. Outros puxam um carrinho de coleta de lixo reciclável, algumas vezes conduzindo crianças e acompanhados pela esposa. Nessas condições, mesmo que não peçam nada, conforta-me oferecer algum dinheiro para reforçar o caixa deles. Ficam surpresos e com cara de assustados pela oferta espontânea. Talvez signifique algo assim: "Fui notado e ainda me presentearam!". Não estou querendo criar uma corrente de doadores, mas procedo assim porque a mim faz bem. Simples assim!

Relato outro momento pelo qual passei. Certo dia, encontrei num parque um rapaz que vestia a camisa do time do Grêmio, vendendo doces. Como gosto de conversar, dar atenção, disse para ele: "Não é interessante um vendedor ambulante vestir a camisa do Grêmio ou do Internacional aqui no Rio Grande do Sul. Corres o risco de os que não gostam do teu time, os que torcem para o clube rival, não comprarem teu produto. Logo, terás menos fregueses". O leitor poderá pensar: "Mas que psiquiatra metido!". Verdade, sou espaçoso, mas, como já disse, eu me sinto bem essa interação com os mais simples e necessitados.

Retomo o aspecto da interação: por que não queremos falar com as pessoas que sofrem pela penúria social nas ruas? Talvez seja por uma razão autoprotetiva, uma postura defensiva. A situação de pedinte nos toca a alma, na medida em que temos contato direto com o sofrimento humano. Machuca ver que há uma pessoa como nós tão necessitada e, evidentemente, que não nos é possível resolver a vida dela. Essa percepção gera desconforto em nossa mente, e, para diminuir o sofrimento, queremos distanciamento. Nada de papo. Respostas breves e lacônicas. Assim nos defendemos, negando, e vamos nos afastando da situação penosa. Muitos tentam justificar o desprezo por essas pessoas dizendo: "Escolheu esse caminho; se quisesse poderia mudar de vida; os governantes deveriam cuidar deles etc.".

Percebo que, mesmo em outros ambientes, como o trabalho, tendemos a fugir, nos ver livres de assuntos mais tocantes. Procuramos rapidamente nos livrar do tema dizendo: "Isso passa", "Deus vai te ajudar", "Tem gente pior" etc. Imaginem o desconforto que gera a abordagem de um mendigo. Enfim, creio que pode ser um conforto, para aqueles que perambulam pelas ruas, quando alguém para e tenta estabelecer uma conversa, um contato. É como se saíssem da invisibilidade e virassem pessoas. Para mim, não tenho dúvidas de que saio gratificado e fortalecido com esses contatos.

Muitos dos mendigos que perambulam pela vida são portadores de doenças mentais. Estão mendigando porque são portadores de patologias mentais que inviabilizaram a capacidade de cuidarem de suas vidas. Deveriam estar em alguma instituição pública onde pudessem ser cuidados e medicados.

Penso que adquiri esse jeito de gostar de pessoas, de conversar com elas, por me identificar com minha mãe. Olga era uma senhora simples, com pouca formação acadêmica, mas tratava a todos com atenção e bonomia, cultivava a interação interpessoal; creio que recebi essa dádiva dela. Gosto do meu trabalho, portanto, gosto de interagir com as pessoas. Aonde quer que eu vá, se há alguém demonstrando que passa por alguma dificuldade ou precisa de alguma ajuda, isso se comunica comigo, me toca, e procuro ajudar. Não é por acaso que me tornei médico. O convívio com meus pacientes, que também buscam amparo e suporte, me anima, me entusiasma e me energiza.

Queria dividir isto com vocês, leitores: dar atenção aos outros faz-me sentir melhor. É um dar do qual também se recebe, e isso me faz muito bem. É uma experiência que vale a pena ser vivenciada. Apenas pense nisto: vínculo e proximidade com as pessoas confortam muito. Quero dizer que vale a pena falar, ouvir as histórias desses mortais, evidentemente, tratando-os de igual para igual.

Se este meu texto ajudar alguns a repensarem suas atitudes em relação a essa população, considero exitoso. Claro que pesam muito os preconceitos em relação a esse grupo populacional. *Os mendigos também falam e também sentem!*

26.

Quando o pensamento positivo pode se tornar tóxico

>> *O ser humano passa a vida a pensar, não há como deter o fluxo do pensamento. Modernamente se passou a falar em pensamento positivo. Alguns creem que pensar positivamente ajuda a vencer na vida. Hoje há uma corrente que acredita e pratica e propaga o tal pensamento positivo. Em excesso ele pode se tornar tóxico e negativo para o viver.* <<

Você sabia que o pensamento positivo, que hoje é algo preconizado para a vida das pessoas, poderá ser negativo? É isso que abordarei a seguir. Porém, antes, vale dizer que não se pode confundir o que chamam pensamento positivo com *positivismo*, que é uma doutrina filosófica do século 19, formulada pelo pensador francês Auguste

Comte, segundo a qual, em síntese, o conhecimento científico seria o único válido, opondo-se às crenças.

Trarei algumas reflexões de pensadores que semeiam o pensamento positivo. Norman Vincent Peale, pastor norte-americano que foi contemporâneo de Freud, é considerado o pai do pensamento positivo. Escreve que o pensamento positivo pode vir naturalmente para alguns, mas também pode ser aprendido e cultivado: "Mude seus pensamentos e você mudará seu mundo". Outra construção decorrente dessa corrente é: "Jamais sofra antecipadamente. Pense positivo. Acredite nos seus sonhos. Nunca desista de lutar. A vida é generosa para aqueles que acreditam nela". A ideia de pensamento positivo baseia-se na *crença* de que manter pensamentos centrados em temas positivos, de bem-estar e sucesso pessoal, pode melhorar as condições psicológicas de um indivíduo e, consequentemente, trazer resultados realmente positivos, ao alterar seu comportamento.

Nossa mente é continuamente alimentada por pensamentos, não nos é possível controlar o que está sempre a passar por nossa cabeça. Enquanto dormimos, o pensamento atua e aparece em forma de sonhos ou pesadelos. Evidentemente, sempre estamos pensando, mesmo que seja de uma forma pré-consciente. As encucações, os devaneios, o que também chamamos de fantasias, estão a mil em nossas mentes. Não temos o poder de controlar o que circula em nossos pensamentos, visto que um padre ou uma freira poderão ter pensamentos de cunho sexual, mesmo que não desejassem ter na mente esse pensar. Claro que isso não significa pecado! Pode vir à cabeça do filho querer que o pai morra depois de uma briga. Evidentemente que o pai não vai morrer, e o filho não está cometendo nenhum tipo de delito.

É bom ficar atento em relação à vida em geral e ao que se passa em nosso entorno, observando e usando o pensar como o nosso radar, para não entrarmos em frias. Estes sentidos são fundamentais para o encaminhar de nossas vidas: olhar, escutar, sentir, pensar e, finalmente, agir. Vamos pensando a vida, sobre o que fizemos e sobre o que intentamos fazer, pensar inclusive fantasiando um pouco, isso faz bem e é necessário para uma vida satisfatória. Às vezes, o pensamento parece fugir da nossa mente, viajamos para longe, e outras vezes nem sabemos bem o que estamos pensando.

Agora, pensar com contornos negativos, sobre aquilo que já aconteceu ou sobre o que poderá ocorrer no futuro, isso não é bom, pois é como se contaminássemos um alimento saudável que iremos ingerir. Dessa forma, não será mais possível consumir essa comida, porque foi contaminada por nós mesmos. Assim pode acontecer com o pensamento, se formos negativistas, pessimistas, desconfiados. Vamos poluindo o pensar, e isso trará sofrimento emocional para as nossas vidas.

Pensar negativamente torna a existência e as relações complicadas, desgastadas, pois nos empurra psicologicamente para baixo, e acabamos por nos sentir impotentes diante da vida. Pessoas deprimidas têm essa inclinação para pensar negativamente. Não conseguem se ver livres desses afetos negativos. Com tratamentos, poderão reverter esse olhar ruim sobre a vida e sobre elas mesmas. Então, não podemos deixar que situações negativas que ocorrem em nossas vidas passem a ocupar nosso pensamento em tempo integral, isto é, transformem-se quase em pensamentos negativos contínuos, porque isso irá acabar por nos adoecer, nos deprimir, nos deixar estressados e ansiosos.

Mas, sob outra perspectiva, é importante entender que de nada adianta pensar "positivo" imaginando que por isso as coisas que desejamos irão acontecer. Acho isso uma atitude desprovida de sentido; é descabido acreditar que, por pensar positivo, as coisas irão "acontecer". Precisamos muito mais do que simplesmente pensar positivo, precisamos nos envolver com o que está acontecendo. Vou ficar rico se pensar positivamente nesse tema! Seria muito infantil essa concepção de crescimento na vida.

Vamos tomar como exemplo a fé religiosa cristã. As igrejas cristãs realizam pregações em torno da fé, fazem orações invocando a intercessão divina na ação humana para o bem, o que é uma coisa legal. Todavia, buscar a intercessão divina não é pedir a Deus que olhe para mim e resolva minha vidinha. Primeiro você tem de fazer. As próprias religiões cristãs não são categóricas nesta corrente de só ter pensamento positivo, no sentido de se entregar nas mãos de Deus, que tudo vai dar certo na vida. Não deixe de fazer a sua parte, mesmo pensando positivamente; no caso, as chances de sucesso serão palpáveis.

Então, isto parece importante: que a pessoa não fique com a ideia de que, pelo fato, digamos, de ela ser boazinha, ser bacana e sorridente, ser empática, atenciosa, tudo brilhará no curso da existência. Ainda mais se associar o pensar positivo. Isto é, bastam pensamentos positivos e esperar, pois, consequentemente, as coisas acontecerão para o seu bem, de acordo com seu desejo. Então, o que quero dizer para vocês, leitores, é que o pensamento positivo, às vezes, é um trejeito da pessoa, um atalho que a pessoa pode construir para se afastar da própria vida e permanecer na expectativa de que alcançará seus objetivos e desejos.

Melhor do que esse ilusório pensamento positivo que pretensamente "resolve" nossa vida seria refletir, meditar, conversar, trocar ideias, ouvir opiniões, estudar. Em suma, é importante elaborar e expandir nossa capacidade de pensar, e dessa forma teremos mais êxito sobre o curso de nossas vidas. Será um comportamento muito mais interessante, mais saudável do que essa ideia do pensamento positivo como "resolvedor" de problemas. Nada até hoje comprovou que pensar positivo ou fazer uma corrente de pensamento positivo são procedimentos que resolvam e encaminhem a vida das pessoas de uma forma exitosa. Se você vai a uma festa para conhecer o amor de sua vida, é irrisório achar que basta pensar positivo e o príncipe encantado cairá nos seus braços. Em vez disso, olhe bem para as pessoas que estão na festa, alguma que lhe chame atenção, e tente investir numa aproximação a ela.

Claro que o elemento que chamamos de "sorte" pode ser um componente que de alguma forma influencia determinados acontecimentos da vida. O país ou a cidade em que nascemos, quem são nossos pais, se não passamos fome, se pudemos estudar, a cor da nossa pele, se não tivemos doença grave ou perdas na infância são determinantes da elaboração do nosso pensamento, logo, da nossa saúde mental. Então, também precisamos ter um pouco de sorte.

Disse Norman Peale: "Mude seus pensamentos e você mudará seu mundo". Acho muito perigosa essa afirmação, pois joga nos ombros da pessoa a responsabilidade total, por meio de seu pensamento, sobre as mudanças em sua vida. Sabemos das desigualdades extremas que ocorrem no mundo e no Brasil, em especial. Pessoas que não têm o que comer, onde morar, sofrem todo tipo de discriminação etc. Como poderiam ser beneficiadas pelo pensamento positivo? Penso que levar a sério essas filosofias pode trazer um efeito contrário, caso não alcancem seus objetivos, apesar de seguirem à risca as recomendações desses pensadores. Evidentemente, acho muito mais saudável pensar positivamente do que negativamente a vida, mesmo com toda a dureza com que ela se apresenta.